日本習合論

内田樹

ミシマ社

まえがき

みなさん、こんにちは。内田樹です。

今回は「日本習合論」というタイトルでの書き下ろしです。書き下ろしと言っても、ミシマ社の三島邦弘社長と野﨑敬乃さんが凱風館《がいふうかん》にいらして、お二人を相手に「最近はこんなこと考えてるんですよね……」と思いついたことをぺらぺらしゃべっていただけなんです。それをICレコーダーに録音して、文字起こししたものをしばらくして送っていただきました。

一読してううむと唸《うな》って天を仰《あお》ぎました。自分で言うのもなんですけれど、着想は悪くない。「習合」という一つの概念を手がかりにして、宗教から民主主義まで、日本文化の諸相を論じようというわけですから。こういう大風呂敷話、僕は大好きなんです。以前「辺境」という概念を手がかりにして、やはり日本文化の諸相を論じたことがありました。それに続く久しぶりの「大風呂敷」です。

『日本辺境論』にも書いたことですけれど、日本はユーラシア大陸の東の端です。もうこれより先には海しかない。だから、大陸・半島・南方から到来してきた制度文物はここに貯蔵される。捨てられないでいると、それがどんどん倉庫に積み上げられる。すると、いつの間にか「ハイブリッド」ができる。コーヒーと牛乳でコーヒー牛乳ができて、カレーと蕎麦《そば》でカレー蕎麦ができるように。先にあったものを排除しないで、その上に乗っかっているうちに、接合面が癒合して、混ざり合ったものができてしまう。

昔、中沢新一さんと『日本の文脈』という対談本を出したことがありましたが、そのときに「在《あり》原《わらの》業《なり》平《ひら》というのは個人の名ではなく、辺境における習合戦略のことではないか」という話になって大いに盛り上がったことがありました。在原業平は都会的洗練の極致のような人ですけれど、なぜか東に下る。そして、辺境の人々と交流して、そこの女性と親しい関係になる……。『伊勢物語』が久しく古典として読み継がれてきたのは、もちろん文学的価値が高いからですけれど、それと同時にこれが例外的人物のパーソナルなエピソードではなくて、種族的に採用された異文化との和解スキームを物語っているからではないのか……と思ったのです。

ふつう異族同士が遭遇したときには、弱いほうは殲滅《せんめつ》されるか、奴隷化されるか、逃走するか、どれかを選びます。でも、殺されるのはいやだし、奴隷にもなりたくない、逃げる先もないということになると、「折り合いをつける」しかない。

養老孟《たけ》司《し》先生によると、日本列島には三次にわたって別の土地からの集団移住があったそうですが、この三つの集団のすべてのDNAが現代日本人には残っているそうです。ということは、かつて外見も違う、言葉も通じない、生活文化も違う異族同士が遭遇したときに、彼らは殲滅でも、奴隷化でも、逃亡でもなく、「混ざる」ことを選んだということです。別に熟慮の末ということではなかったのでしょうけれど、たまたま混ざったら、なんとか折り合いがついて、どちらも死なずに済んだ。それが成功体験として記憶され、種族の生存戦略として採択された……ということではないかと僕は想像しております。「種族の生存戦略」というような言葉づかいをすると、「そういう厳密性のない物言いをするな」とすぐに叱られそうですね。いや、ご叱正《しっせい》の通りなんです。僕だってそれが「厳密な概念ではない」ということはわかっています。でも、そういう操作概念を使うと、これまで前景化されていなかったことが際立ってきたり、これまで関連づけられたことのなかったことが関連づけられたりすることがある。僕は厳密性よりも、新しい問題群の前景化に興味があるのです。

「雑種」は日本文化の本態である

日本文化の特徴が「雑種」だということは、すでに一九五六年に加藤周一が指摘しておりました。これはもう日本文化論の中では定説として受け入れられていると思います。加藤の雑種文化論の根本的テーゼは、「英仏の文化を純粋種の文化の典型であるとすれば、日本の文化は雑種の文化の典型ではないかということだ」という一言に集約されます。ただし、そのことを加藤は比較文化論的な、第三者的視点からコメントしたわけではありません。西欧の圧倒的な文化的優位の下で自信を失って、毒性の強い劣等感に苦しんでいた敗戦直後の日本人に向けて

「自信をなくすな」と叱咤《しった》することを主意としたものです。戦争に負けたからといって、日本文化のすべてを恥じて、すべてを棄ててまで西欧文化に拝跪《はいき》する必要はない。日本文化のありのままをみつめて、それを深めてゆくことはできるはずだ、と。

日本の文化はもちろん中国やインドの文化ほど古くもなかったし、大がかりなものでもなかった。しかし外からみるとかなりはっきりした特徴をもって独立した一つの世界をつくっている。少くとも造形美術と文学とにおいてはそうだ。それをみずからすすんで放棄し、西洋を手本にして何かをつくろうとするほど妙なことはない。われわれの伝統のなかには、もしそのなかに入ればまだそこから抽きだせるもの、そこから出発して発展させることのできるものが沢山ありそうである。（加藤周一、『雑種文化　日本の小さな希望』、講談社文庫、一九七四年、八頁、強調は内田）

日本の伝統のうちには「そこから出発して発展させることのできるもの」が「まだ」あるという言葉づかいには、敗戦から十年後の日本人の、自国文化に対する自信の欠如がはしなくも露呈しています。でも、敗戦国民が自信喪失したままでは先がない。西欧にも価値あるものはあるし、無価値なものもある。それは日本と変わらない。

たとえば戦後、実存主義が流行したが、その思想的な意味は少い。五六年しかつづかなかった流行に深い意味のあるわけがない。（…）西洋の新思潮を手あたり次第に輸入するというばかげた事業に、どうしてあれほど多くの人々があれほどながい間熱中してきたのか。いうまでもなく、西洋の事情が、何によらずただ、それが西洋の事情であるという理由だけで、気になったからである。（同書、五八頁）

日本の文化は雑種文化である。いろいろなものが混じり合っている。それが日本文化のいわば手柄である。これを否定して、日本文化を世界に冠絶する純粋種の文化だと言い立ててみても得るところはない。それはむしろ英仏の純粋種文化に対する劣等感の表白に他ならない。

およそ何事につけても劣等感から出発してほんとうの問題を捉えることはできないのである。ほんとうの問題は、文化の雑種性そのものに積極的な意味をみとめ、それをそのまま生かしてゆくときにどういう可能性があるかということであろう。（同書、四四頁、強調は内田）

僕はこの加藤の言葉に全面的に賛同します。僕も日本文化の雑種性そのもののうちに積極的な意味と豊穣性を見い出したい。そして、そのために僕にできることがあればしてみたい。

そして、僕が本書に書こうと思ったのは、ここで加藤が論じていないことです。

神仏習合は雑種文化の典型的な事例である

僕が書こうと思うのは、どうして日本人は雑種をおのれの本態として選択したのか？　それはどのような現象に端的に表れているのか？　そのもっとも成功したものは何か？　雑種ゆえの弱みや欠点があるとしたら、それはどういうかたちで表れるのか？　そういった一連の問いです。加藤はそういう問いには残念ながら触れていないのです。雑種文化の原理論としては『雑種文化』一冊があれば足りると思います。でも、それを踏まえた「各論」をいろいろな人が書くことにも意味はあると僕は思います。

僕の「習合論」は「神仏習合は雑種文化の典型的な事例である」という仮説から出発するものです。他にもたくさん雑種文化の事例はあるはずですが、僕はこれを自分の担当する「各論」の主題に選びました。

どうして神仏習合が僕にとって興味深い事例であるかというと、前にこんなことがあったからです。数年前にスイスのラジオ局からインタビューの申し入れがありました。日本の宗教について話を聞きたいというのです。荷が勝ちすぎて僕一人ではとても無理だと思ったので、宗教学者で浄土真宗の僧侶でもある友人の釈徹宗《しゃくてっしゅう》先生にお願いして、二人で質問に答えることにしました。そのとき、インタビュアーが用意した質問の中で返答に窮したのが「神仏分離」についてでした。「どうして千年以上続いた宗教的伝統が政令一本で簡単に破棄されたのですか？」と訊かれて、うまく答えられなかったのです。「それは明治政府の方針で……」と言ってもそれでは説明にならない。神仏分離を通じて政府が何をしたかったのかは言えますけれども、どうしてそんな理不尽な命令に対して組織的な抵抗運動がなかったのかが説明できなかった。

僕たちは「起きたこと」については、「どうして起きたのか？」という問いを立てますけれど、「起きなかったこと」については「どうして『起きてもよかったこと』なのにそれは起きなかったのか？」という問いを立てる習慣がありません。ですから、神祇官令《じんぎかんれい》に反対する民衆運動という「起きてもよかったのに、起きなかったこと」については「どうして起きなかったのか？」という問いを立てずにきた。

神仏分離については歴史学的な研究の蓄積があり、多くの本が書かれています。それを読むと「こういうことがあった」という歴史的事実については知ることができます。因果関係も説明してくれる。でも、「起きてもいいのに、起きなかったこと」については「どうしてそれは起きなかったのか？」というタイプの問いを歴史家は立てません。起きたことを説明するだけで手一杯で、起きなかったことについてまで手が回らないというのは当然のことです。でも、僕は気になるんです。どうして千年以上続いた神仏習合という信仰形態が、数十万人、数百万人という規模の実修者が存在した、深く日本人の生活文化に根づいたはずの宗教が、一本の政令で消滅したのか？

僕は納得のゆく説明を読んだ覚えがない。江戸時代の檀家《だんか》制度に安住して、僧侶が堕落して、民心が仏教から離れたからという記述をときどき見かけました。たぶんこれが神仏分離に組織的抵抗がなかった理由を説明するときの「定説」なんだと思いますけれど、僕はどうも納得がゆかない。もちろん、僧侶の堕落という事実はあったとは思います。でも、日本中の僧侶が全部堕落していたとは考えられない。それに神仏習合ですから、神宮寺の中では僧侶と神官がいっしょに活動していたわけです。神官は清廉《せいれん》で、僧侶だけが選択的に堕落したという話に簡単には頷くことができません。慶応四年の神祇官布告では、神社に勤めている別当・社僧たちに還俗《げんぞく》して神官になるように命じています（それがいやなら立ち退け、と）。還俗した僧侶をそのまま神官に再雇用すると約束しているわけですから、僧侶たちは神域に身を置けぬほどに堕落していたという社会的合意があったとも思えない。

外国人相手に神仏分離を合理的に説明しようとしたときに、「それについての組織的抵抗がなかった理由」をうまく説明できないという現実に僕は直面しました。それからずっと喉にささった棘《とげ》のようにそのことがひっかかっています。

仏教が渡来してしばらくして神仏習合は始まりました。だから、すでに千年以上の歴史がある。それが明治政府の政治的決定によって否定された。否定するのはいいのです。そうしたい理由が政治指導者の側にあったわけですから。でも、人々がそれをぼんやり指を咥《くわ》えて眺めていたのがわからない。どうして、何かしなかったのか？

千年以上にわたって栄えた「雑種文化」が、「純粋な日本の宗教」という政治的観念を創り出そうとした人々によって廃絶された。

変ですよ、これは。

もし加藤周一の言うように、雑種や習合が日本文化の本態であるのだとしたら、どうして人々はそんなに簡単に本態を棄てることができたのか？　どうして日本文化の本態たる雑種文化はこれほどに脆弱だったのか？　神仏習合という旧習はこのまま宗教史から消失してしまうのか？　それとも何らかのかたちで甦《よみがえ》るのか？

これらの問いにきちんと答えることができないと、「日本文化は雑種文化だ」という加藤のテーゼそのものを維持することがむずかしくなります。僕は加藤のテーゼは正しいと思っています。でも、このテーゼを維持するためには、「どうして神仏習合という典型的な雑種文化は消えたのか？」という問いに納得のゆく答えを出さないといけない。神仏習合という日本文化のリアルが、国家神道という日本文化についてのフィクションに負けたのはなぜか？　世の人は「そんなのどうでもいいよ」と言われるかもしれませんけれど、僕は答えが知りたい。だから、それについて考えることにしました。

それを中心的な問いとして、それをめぐっていくつかの時事論が配列されています。農業について、労働について、民主主義について、などなど。周防大島で行った農業についての講演はもともと独立したものですけれど、主題的に近いものを含んでいるので採録しました。働き方についての話、民主主義についての話もそうです。

三島君が「習合」という統一テーマでこれまで書いた断片と「語り下ろし」をまとめて編集したものを送ってくれたのは、ちょうど、二〇二〇年の一月からコロナウィルスのパンデミックが起きたときでした。Stay home の時期でしたから、三カ月ほど家にこもることになりました。外には出ないし、道場もゼミもお休みになったので、定職を持たない身としては暇でしかたがない。これを奇貨として、毎日ゲラをこりこり直して、こうやってなんとか活字化できるところまで持ってきました。どうぞお読みください。

『日本習合論』目次

第一章

動的な調和と粘ついた共感

霊的にピュアなもの

明治維新から百五十年が経ち、宗教をめぐる状況が変わりつつあるような印象を僕は持っています。日本社会は久しく世俗的であったけれど、このところ再び宗教的なものになりつつある。

もちろん世俗的な時代においても、「スピリチュアル」や「オカルト」や「霊能力」や「霊言」やらはにぎやかに飛び交っていたわけです。けれども、それらはいわば「世俗社会内部的な値札」をつけられて、そこそこの高値で取り引きされていたに過ぎません。世俗のシステムの内側で製造され、流通され、消費されて、誰かの世俗的な銀行口座の世俗的な残高数字に変換されていた。それを僕は「世俗的」と呼びます。これから僕が話そうとしているのは、それとは違うものです。本来の意味で宗教的なものについて僕は話をしたい。

世俗の枠組みではその意味や価値が考量できないもの、儀礼や修行や瞑想や呼吸法や食物や衣服についての戒律などなど、「どうしてそんなことするの?」と訊かれても、うまく合理的な説明ができないもの、そういうものに惹きつけられる人が増えている。もちろん、経験的な根拠があっての話です。まずその話をします。

僕が会員になっている一九会《いちくかい》という禊祓《みそぎはら》いの宗教法人があります。入会のイニシエーションでは、三日三晩にわたって朝から夜までひたすら声の限りに祝詞《のりと》を上げるという荒行《あらぎょう》が課されます。この行に挑む人に近年外国人が多いのです。前回行ったときにはブルガリアとベネズエラの人が、その前はロシアとギリシャとアメリカから修行者が来ていました。

どうしてそんな遠いところから日本まで、それも祝詞を上げる行のために、わざわざ来るのでしょう。もちろんそんな失礼な質問を本人には向けたりしません。でも、ただひたすら行に打ち込む彼ら彼女らの真剣な横顔をみつめながら、彼らを衝《つ》き動かしているものは何なのかな……と僕は考えてしまいました。旧社会主義圏に、禊祓いに興味を持つ人たち（そして、その多くは高学歴の専門職の人たち）が出てきている。それはどうしてなんでしょう。

旧社会主義圏はロシア革命から約百年、宗教的なものが制度的に排除されてきた地域です。そして、ロシア革命から七十年後に、この地での社会主義は瓦解《がかい》しました。そして、強権的で世俗的な資本主義国家に再編された。建前の上では、信教も自由になりました。けれども、人々はロシア正教やギリシャ正教にまっすぐ戻ったわけではありません。ロシア正教はプーチン政権との癒着が指摘されますが、アメリカの福音主義と同じように政治的現実に取り込まれてしまった。ですから、一部の人たちがもっと根源的な宗教性を求めるようになったとしても、もっと霊的にピュアなものに触れたいと思ったとしても、不思議はありません。

ロシアと中国はどちらも村上春樹さんの本がよく読まれている国です。でも、よく考えると不思議な話だと思いませんか。どうして、それぞれ一度は科学的社会主義を国是としていた国で、「必ず幽霊が出てくる小説」が多くの読者を惹きつけるのか？　僕はそれが村上文学が現代文においては例外的に宗教的な味わいを持つものだからだと思っています。

　村上文学には、世の合理的思考では説明できない異形のものたちが次々と登場します。「やみくろ」とか「ミミズ君」とか「羊男」とか「ワタナベ・ノボル」とか「カーネル・サンダーズ」とか「騎士団長」とか。それは世俗的な合理性が容認できるものではないけれど、たしかに、人間の生き死にに具体的に、直接的にかかわってくる。

　村上さんは『海辺のカフカ』についてのインタビューで「異形のもの」について、こんなことを言っています。

> 僕が読者に伝えたかったのは、カーネル・サンダーズみたいなものは、実在するんだということなんです。彼は必要に応じて、どこからともなくあなたの前にすっと出てくるんだ、ということ。それこそタンジブルなものとして、そこにあるんです。手を延ばせば届くんです。僕は彼を立ち上げて、彼について描くことを通して、そういう事実を読者に伝えたいわけです。（村上春樹、『夢を見るために毎朝僕は目覚めるのです』、文藝春秋、二〇一〇年、一二七－八頁）

　あれはタンジブルな、手を触れることのできるものとして、この世界にいる。そう村上さんは断言します。河合隼雄さんとの対談でも、同じようなことが話題になっていました。

村上　あの源氏物語の中にある超自然性というのは、現実の一部として存在したものなんでしょうかね。
河合　どういう超自然性ですか？
村上　つまり怨霊とか……。
河合　あんなのはまったく現実だとぼくは思います。
村上　物語の装置としてではなく、もう完全に現実の一部としてあった？
河合　ええ、もう全部あったことだと思いますね。だから、装置として書いたのではないと思います。（『村上春樹、河合隼雄に会いにいく』、岩波書店、一九九六年、一二三－四頁）

村上さんは「あんなのはまったく現実だとぼくは思います」という河合さんの断言に小説家として深く納得したのだと思います。そして、それまで以上に「怨霊」のようなものを物語の中にじゃんじゃん登場させるようになった。何かの比喩や代理表象ではなく、まさにそのものとして。

僕はこういう感受性こそほんとうの意味で宗教的なものだという気がします。合理的、科学主義的に考える人は、人間がひどくリアルな妄想や幻覚に取り憑かれることは認めますけれど、それを「まったくの現実」だと認めることはありません。

でも、それではある現象が「現実」か「非現実」であるかを識別する指標とは何なのでしょう。ある種の想念や感情がつよい現実変成力を発揮することは現実にいくらでもあります。たとえば、「幽霊」を見たと思った人が、その心的衝撃でショック死した場合、その「幽霊」には間違いなく現実変成力はあったわけです。

現実と非現実の境界線をきちんと引くことはむずかしい

武道の稽古をしていると、脳内に生じる「念」がどれほど身体の物理的・生理的プロセスに現実的影響を与えるのか、よくわかります。

たとえば、ある技を行うときに、「相手の腕をつかんで、引き上げて、肘をねじって、投げ倒す」というふうに運動を「念」じるか、あるいは「空中にある剣の柄をとらえて、胴を切り払って、刃筋の進む方向に全身を整える」というふうに運動を「念」じるかで、動きの質も動線も使われる筋骨も、まったく違うものになります。そして、この場合は「相手の腕をつかんで……」というふうに目の前にある現実を相手にするよりも、「想像上の剣」という、「そこにないもの」を操作するほうが、技が効く。現実に存在しないものとかかわっているほうが現実変成力は大きい。そういうことが起こる。

武道の稽古ではよく「念を去る」とか「無念になる」ということを言います。経験的に言うと、現実に居着くと「念」が生じます。目の前にある、具体的な、リアリティに囚《とら》われ、そのせいで心身の能力が低下する。ですから、「無念」になるための稽古の方便として、そこにないものを操作するというのは間違いなく有効なのです。そこにないものを操作する動きですから、相手にはそれを予期したり、妨害したりすることができません。できるはずがないです。だから、「無念」は武道的に有効になる。理屈ではそうなります。

以前、合気道部の部員からこんな経験談を聴いたことがあります。彼女が中学生の頃に、校舎の中で友だちを追って走っていたら、夢中になって目の前にガラス戸があることに気がつかず、そのまま割って通り抜けてしまった。体重四〇キロもないか細い女の子が、廊下のガラス戸を突き破ったのです。彼女は「ガラス戸が存在しない廊下」という「そこにないもの」にリアリティを感じたせいで、巨大な現実変成力を発揮したわけです。

現実を相手にしている人間だけが現実的であるわけではありません。非現実的なものを相手にしている人間のほうもまた等しく現実的であり、ときにははるかに現実的である。認知的には「非現実」とみなされたものが、遂行的には「現実的」に機能することがある。だとしたら、「現実」と「非現実」の境界線はどこに設定したらよろしいのか。

僕はそのような境界線をきちんと引くことはむずかしいだろうと考えています。

人間の理性が及ぶ範囲は限定的です。その外側は、人知をもっては知りえないもの、人知をもっては制御しえないものの領域です。

ときどきその「外部のもの」が境界線を越えて、人間たちの世界に侵入してくる。逆に、人間がうっかり境界線を踏み越えて、「外」に迷い込んでしまうこともある。だから、「外部のもの」を迎え入れたり、押し戻したりするための、あるいは「外」に迷い込んだ人を呼び戻すための儀礼や戒律が伝統的に存在する。

村上文学はほとんどそのような経験だけを書いてきました。そして、世界文学になった。村上春樹を「宗教的な作家」だと評する人はいませんし、河合隼雄を「宗教的な心理学者」と評する人はいません。でも、僕はこの二人はすぐれて宗教的な人たちだと思っています。僕がさきに「霊的にピュア」という言葉で形容したのは、そういう人たちのことです。

どの宗教においても、儀礼や戒律の起源は遠い人類史の闇の中に消えています。どういう起源から発生したのか、わからない。そういうときに「だからそんなものには意味がない」と言い切れる人と、「いや、そこには古代人には感知できたけれど、現代人には感知できない、何らかの働きがあったのではないか」というふうに留保をつける人がいる。僕は後者を「霊的にピュア」な人というふうに類別したいと思います。人知によってはかり難いことによって僕たちの世界は充たされている。シェークスピアだって、そう言っています。

根源的に考えることを目的に掲げる教育機関

先日、愛農高校（愛農学園農業高等学校）という三重県にあるキリスト教の農業高校に招かれて行ってきました。その少し前には、東京の自由学園に伺いました。どちらもとてもユニークで、自由で、そして自分たちの建学の理念に忠実な教育を行っている教育機関でした。時代の風儀にもマジョリティの価値観にもかかわりなく、確固とした、おのれの哲学に従って教育を行っている。そういう印象を受けました。

この二つのミッション・スクールを訪れたときに、宗教の強さを僕は感じました。どういう教育が「社会のニーズ」に合うかとか、どういうプログラムを整備すると行政から評価されるかといった俗な話はそこでは誰も口にしなかったからです。ただまっすぐに「人として正しく生きるとはどういうことか」を問うている。そういう筋の通った教育機関が、いまの日本にまだ生きていることを知って、僕はほっとしました。

愛農高校は自給自足を実践しています。自分たちで野菜を作り、米を作り、牛や豚や鶏を育て、果樹を育て、その収穫物を食べる。チェーンソーで木を切り出して、製材して、自分たちの手で校舎や作業所を建てる。生きる上で必要なものはできるだけ自分の手で自然から取り出すという生き方をめざしている。

生きるために必要なものはすべて市場で貨幣によって購入することができるとみんなが信じ

ている社会の中にあって、こういう「野蛮な」構えはむしろ健全だと僕は思います。「農業とは何か」、「食物とは何か」、「食文化とは何か」という根源的な問いに直面せざるをえないからです。

必要なものは、必要なときに、必要な量だけ、市場で調達できる。だから、万人は自分がもっとも効率よく金を稼げる領域に専門特化して、そこで金を稼ぐことに集中すべきである、というのが市場原理主義の基本テーゼです。みんなそれを信じて、日々労働と消費に明け暮れているわけですけれども、これは嘘です。自分で農業をしていれば、その「嘘」が高校生だって身に沁《し》みてわかる。

農業は「飢餓を防ぐための集団的な営み」です。食物もまた金さえ出せばいつでも要るだけ市場で調達できる単なる一商品だと信じ切っている人たちには、その営みの根源的な意味がわからない。

食料はパソコンや自動車と同じような商品ではありません。たしかに、食料も安定的に供給されているかぎりは、あたかも商品であるかのように仮象します。でも、いったん供給が減少したら、あるいは途絶したら、それは「金を出せば、いつでも買えるもの」ではなくなります。それは「それがなければ死ぬもの」になる。

パソコンや自動車は、仮にその輸入が途絶えても、新規に市場に商品が提供されなくても、

「不便だね」で済まされます。新しいモデルが手に入らないからといって、生き死ににかかわることはありません。でも、食料はそうはゆきません。流通が途絶えるという予測だけで買い占めが始まり、しばらくしてほんとうに途絶えたら、他人の食物を力づくで奪い取る人が出てくる。そのときに、人間社会がいかに脆《もろ》い土台の上に築かれたものであるかがわかる。

自分たちの手で農作物を作っていれば、とりあえず「農業とは何か」、「食料とは何か」という問いを自分に向ける機会にいやでも遭遇することになります。

僕が自給自足をめざす教育機関に好感を覚えるのは、何よりもそこがものごとを根源的に考える機会を提供しようとしているように思えるからです。どんな偏差値の高い学校よりも、僕はものごとを根源的に考えることを教育の目的に掲げる教育機関を評価します。

愛農高校は食物が自給自足であるだけでなく、ソーラーパネルで発電し、井戸を掘って飲料にしている。仮に大きな自然災害が起きて、ライフラインが途絶しても、ここだけは生き延びることができる。ですから、災害時には地域住民の「アジール（避難所）」として機能することができる。何かあっても、「愛農学園に行けばなんとかなる」。実際にそういう場所として設計されていると伺いました。他が崩れても、ここは持ちこたえられるように、「危機耐性」に配慮して作られている。僕はこのような構えを高く評価します。

歓待の場所

僕が主宰している凱風館も「アジール」としての役割を持ち得るようにしてあります。災害が起きたときには緊急避難先になれる。七〇畳の道場がありますから、とりあえずかなりの人に寝るところを提供することはできる。医療品も、飲料水も、食べ物も、そこそこの備蓄はあります。もともと道場というのは、そういう機能を併せ持つべきだと僕は思います。

道場の本義は宗教的な修業の場です。寺院というのは、四天王寺の悲田院《ひでんいん》や施薬院《せらくいん》、あるいは縁切り寺や駆け込み寺という制度から知られるように、もともと困窮した人たちが、外の世界に居場所を失った人たちが、駆け込むことができる「アジール」でした。

僕の合気道の師匠である多田宏《ひろし》先生は一九五〇年、戦後五年目に新宿若松町の植芝道場に入門されました。多田先生が入門された当時は、空襲で家を失った罹災者《りさいしゃ》たちがまだ道場の片隅に住んでいたそうです。先生たちはその横で稽古をしていたのです。

僕はその話を多田先生から何度か伺いました。でも、先生は道場の中に近所の人が棲《す》みついていたので「たいへん迷惑だった」という苦労話をしたかったわけではないと思います。それは先生の口調からわかりました。その奇妙な風景のうちに、開祖植芝盛平《うえしばもりへい》先生と二代道主植芝吉祥丸《きっしょうまる》先生の「道場とはどういうものであるべきか」についての明確なメッセージが込められていたと思ったからこそ、多田先生はそれを僕たち弟子に伝えたのだろうと思います。道場というのは本来はそのような開放的な、歓待の場所であるべきだ、と。

とりあえず僕はそう理解しました。「先生、そういうことですよね」とお訊ねしても、多田先生はたぶん「そういうふうに理解してもよい」と笑って応じるだけだろうとは思いますが。道場がどういうものであるべきかについて、もちろん単一の解はありません。それは修業者ひとりひとりが自分で考えることです。そして、僕は多田先生が回想される昭和二十五年の植芝道場を「歓待の場所」というふうに受け止め、自分の道場もそのようなものであればいいと思った。

勘違いしてほしくないのですが、別に僕は「すべての人が他者に対して歓待的であるべきだ」なんて言っているわけではありません。そんな贅沢《ぜいたく》は言いません。「自分の家に人を入れるのはいやだ」という人はいやでいいんです。誰もそれを責めたりはしません。僕だって、誰でも構わず凱風館に迎え入れるわけではありません。「来てほしくない人」はお断りします。でも、自分の家を「アジール」として開放する用意がある人が一定数いたほうが世の中はいくぶん暮らしやすくなると思う。

僕だって、何かのはずみで家を失うかもしれない。無一物で異郷をさすらうような破目に陥ることだってあるかもしれない。そのときに「アジール」を提供するのが自分の仕事だと思っている人に出会えたら助かります。だから、僕もそうする。それだけのことです。

少数派の書き方

僕は自分が少数派であることについては別に困っていないし、特段の不満もありません。子どもの頃からずっと少数派でしたし、「お前は変だよ」という言葉を飽きるほど投げつけられてきましたから、少数派であることは少しも気にならない。

ですから、今書いているこの文章はもちろん同時代の読者を想定して書いているわけですけれども、たぶんほとんどの同時代人には見向きもされないだろうと思っています。でも、二十年後、三十年後には「そうだよね」と同意してくれる読者がもう少し増えているかもしれない。それをめざして書いてます。そのためには二十年後、三十年後の読者が読んでも意味がわかるように書く必要がある。これは僕がものを書くときに自分に課しているたいせつなルールです。同時代に何百万人もの読者がいる書き手だったら、そんな気を遣う必要はないでしょう。「ほら、例のあれだよ、あれ」というような内輪の話をしてもどっと受けるなら、くだくだしい説明をする気になりませんから。でも、僕は同時代に「どっと受ける」ということは期待できない。だから、長い時間をかけて「ぱらぱら受ける」ことをめざすしかありません。そのためにはそれなりの書き方をしなければならない。

流行語は使わないとか、身内にしか通じない符牒《ふちょう》は使わないというのは当たり前ですけれど、僕が一番気にかけているのは、自分では「わかったつもり」でいること、説明の要がないと思っていることでも、もしかすると二十年後の読者には意味がわからないことがあるかもしれないということです。どうやってそれを識別するか。僕の場合は「昔の自分が読んで、意味がわかるかどうか」でスクリーニングしています。二十歳のときの自分が読んでもわかるように書く。二十歳のときの僕の知力のレベルに合わせてという意味ではありません（多少はあるけど）。そうではなくて、「人の言うことを簡単には信じない」とハリネズミのようにがちがちに武装していた二十歳の内田君の警戒心でも解除できるように書くということです。

手の内のカードをちゃんと読者に開示する。「わかっていること」と「あまりよくわかっていないこと」をごちゃまぜにしない。理路がうまく通らなくて困ったときにはちゃんと「話しがぐちゃぐちゃになってすみません」と謝る。論理の筋が通らないところを適当にごまかしたりしない。要するに正直に書くということです。

少数派には少数派の書き方があると僕は思っています。世の中の主流派・多数派の価値観や言葉づかいやふるまい方に抗《あらが》って異論を語る以上、その人には多数派の書き手には求められないものが求められる。読者の袖にすがって「お願いだから僕の話を聞いてくれ」と懇請《こんせい》するわけですから、とりあえず「この人は嘘はついていない」ということだけは信じてもらわないと始まらない。

人を見る目

「人を見るときは、自分の哲学を持っているかどうかを基準にしろ」というのは、僕の父親がよく子どもの頃に僕に言い聞かせた言葉です。小学四年生くらいのときですから、「哲学」なんて言われても意味がわからない。でも、そんな子どもに向かって、何度もそう繰り返した。

父は長く中国大陸で過ごし、宣撫《せんぶ》工作にかかわる仕事をしていました（詳細はついに死ぬまで話しませんでしたが）。戦争が終わってから一年北京で徴用されて、それから帰国しました。満州事変から敗戦までを中国大陸で過ごしたわけですから、ずいぶんいろいろなものを見聞したはずです。戦時中も敗戦時に中国大陸に展開していた軍隊や行政組織が総崩れになったときにも、人間がどれくらい利己的になるか、どれくらい卑劣で残忍になれるか、逆に、どれくらい高潔でありうるか、どれくらい誠実にふるまうことができるか、それを父は見たと思います。極限的な状況で生き延びるためには、かかわりを持った人については、その人が一言を重んじる人かどうか、約束を守る人かどうか、人としての筋目を通す人かどうか、そういったことが何よりも重要になります。

そのときの経験から父が引き出した教訓が、平時の肩書や地位や学歴のようなものは、非常時の人のふるまいを予測するときの基準にはならないということでした。自分とその人との間の当座の利害関係や「恩がある」だの「義理がある」だのということも、やはり非常時には当てにはならない。結局、人とかかわるときには、それ以外のものをすべて拭い去って、まっすぐに「人として信じるに足るかどうか」を見なければならない。そうしないと極限状況を生き延びることはできない。

「生き延びる」というのは必ずしも修辞ではありません。父が北京の旧居を訪れた経験を記した晩年のエッセイには、父の北京時代の同僚だった二人の中国人青年は戦後「対日協力者として殺された」という痛ましい記述がありましたから。

今の日本では「人として信じるに足るかどうか」「一言を重んじる人か」というようなことを人物鑑定の基準にするという風儀は廃《すた》れてしまいました。そもそも「人を見る目」という言葉さえ死語になった。「人を見る目」というのは、外形的な情報に惑わされず、目の前の人の正味《しょうみ》の人間としてのありようを評価できる能力のことですけれど、そういう能力はもう誰も求めなくなりました。人間の中身がどうであれ、外形的に年収とか、地位とか、社会的な力とか、そういう「エビデンス」に基づいて人間は査定されるべきだというイデオロギーが今の日本では支配的です。

でも、少数派である書き手としては読者の「人を見る目」以外に取りつく島がない。ですから、外形的にはどれほど少数派であり、どれほど無力であっても、きっちり「人として」筋目を通した生き方をしてみせるしかない。多数派で、主流派で、成功者で、社会的影響力を持っている人なら、その事実だけでも「言っていることは正しい」ことの根拠になりますけれど、少数派はそうはゆきません。もっと必死で書かないと勝ち目がない。

全体の七パーセントは「少数派でも平気」でいてほしい

でも、困ったことに、「少数派である」というだけの理由で「自分は間違っているのではないか」と不安になる人が多い。これはおかしいと思います。ある集団内で、多数派であるか少数派であるかは、さまざまな条件によって決定されますが、言明の真偽当否とは相関がありません。

選挙で多数派を制したからといって、「正しい政策を公約に掲げた」ということにはならないし、敗けたからといって、「間違った政策を公約に掲げた」ということにもならない。でも、ここ十年ほどの日本の政局を見ていると、少数派の政治家たちのうちに「いつまで経っても政権が取れないのは、自分たちが掲げている政策が間違っているからではないか?」と反省することが「現実的」と考え出す人が増えたように感じます。

僕はそんなものは別にとりわけ成熟した政治的知見とは思いません。昔から、深くものを考えない人たちが愛用してきた「長いものには巻かれろ」とか「寄らば大樹の陰」とかいう手垢《てあか》にまみれた処世訓の変奏に過ぎないと思っています。

今の日本の野党の弱さというのは、少数派であるという事実のせいで自信を失っているからではないかと思います。「野党も現実的な対案を出せ」とか「野党も改憲議論をすべきだ」という言葉を当の野党政治家が口にするのをときどき目にします。その苦々しげな口調に僕は「だから少数派のままなんだ」という否定的評価を感じる。少数派であることは端的に「よくないこと」だという前提を無自覚に採用しているとしたら、それは間違っています。

いったいいつから少数派であることが「悪いこと」で、多数派であることが「よいこと」になったんですか。少数派であるというのは、ただその時点では過半数の人の理解同意を得ることができなかった知見を語っているというだけのことです。その言明の真偽や当否とは原理的には関係がない。まさか日本人全員がヘーゲル主義者で、「真理は必ず現実化する。現実化しないものは真理ではない」って信じているわけじゃないですよね？　まさか。

もちろん、百年単位くらいの長いタイムスパンを採れば、全体として人類は進歩しているということに僕も同意します。遅々たる歩みではあるけれど、おおかたの国では、奴隷制度は廃され、拷問や死刑はなくなり、秘密警察や政治犯収容所がある国の数も減り、人種差別や性差別や職業差別も、徐々に解消されている。もちろんゼロになっているわけじゃないし、ときどききはきびしいバックラッシュもある。人口爆発とか環境汚染とか温暖化とかいう点を見ると、むしろ歴史は行ってはいけない方向に向かっているようにも見えます。でも、総じて、ゆっくりとではあるけれども「よりましなほう」に向かっている。僕はそう思っています。だからこそ、歴史を逆行するような動きに対しては「それ、長い目で見ると、進化するのと逆の方向に向かってますよ」と異議を申し立てることになる。

集団の過半数が意気揚々と「退化の方向」に棹《さお》さしていることなんかぜんぜん珍しくありませんから。ヒトラーのドイツだって、スターリンのソ連だって、毛沢東の中国だって、「そっちに行っちゃダメ」な方向に国民が目をキラキラさせて大行進をしていたし。だから、どんな時代のどんな社会でも、「今のわれわれの社会の多数派は、もしかして間違った方向に向かっているのではないか」というクールな点検が必要になる。その異議申し立てが実は適切であったことがわかるのは、場合によっては百年経ってからということだってある。だから、昨日今日の選挙結果がどうだったからというような理由で、「少数派であるのは、われわれが間違っているからだ」というような結論に軽率に飛びつかないほうがいい。正否がわかるのはずいぶん先の話です。「棺《かん》を蓋《おお》いて事定まる」というではありませんか。気長に構えたほうがいいですよ。

今の人は孤立する力、長い留保に耐える力がいささか足りないのではないかと思います。「少数派であっても平気」という気構えを持つ人が必要です。もちろん、少数派ですから、そんなに頭数は要りません。全体の五パーセントくらい。できたら七パーセントくらいが「少数派でも平気」という強いマインドを持ってくれていると、あとの九〇パーセント以上がひと塊になっていても、集団の健全さは担保される。メインストリームに対して揺るがずに異議申し立てをする一定数の少数派は絶対にいないと困る。多数派が高転びしたときに、システムを復元するのはつねに少数派だからです。組織の復元力（レジリエンス）を担保するのは少数派です。

それを証明しているのがアメリカという国です。アメリカがいまも世界最強国であり続けていられるのは、国内につねに強力なカウンターを抱え込んでいたからです。メインストリームがどれほど大きな失敗を犯しても、それに対して久しく激烈な反対運動を展開してきたカウンターが取って代わることができる。それが米国社会に復元力を提供してきた。

米ソ東西冷戦で最終的にアメリカが勝利したのは、アメリカ国内には時の権力者を鋭く批判する強力なカウンター・カルチャーが存在したけれども、ソ連にはそれに類するものがなかったからだと僕は思っています。

中国もそうです。いまは中国には勢いがあります。けれども、国内に力強いカウンターが存在しない。メインストリームである中国共産党の一党支配体制が不調になったときに、国を復元するための備えがない。ですから、中国もかつてのソ連と同じように、一度傾き出すと、復元力が働かず、政治的カオスが訪れるリスクが高いと僕は思っています。そうなる前に「リスクヘッジ」という発想ができる指導者が出てくるといいのですが。

リスクヘッジというのは平たく言えば「丁の目と半の目の両方に張ること」です。そんなことしたら儲からないじゃないかと言う人がいると思いますけれど、その通りです。儲かりません。でも、僕たちは金儲けをしているわけじゃない。生き延びようとしているのです。

いま、「リスクの分散」ということをほとんど言わなくなりました。なんでも、一点に集中するのがよいということになっている。勝てそうな目に有り金全部を賭ける、ダメだったらそれでおしまいというシンプルな話が「選択と集中」論者はお好きです。でも、これではあまりにリスクが多い。

相手にいきなり信頼される握手の技術

この前、永井陽右《ようすけ》さんという青年と朝日新聞の企画でお話する機会がありました。ソマリアで人道支援をしている方です。

ソマリアというのは世界でもっとも治安が悪い国の一つです。「国境なき医師団」でさえ撤退（現在は再開）してしまうほど危ないところで彼がしている仕事というのは、少年の頃からずっと戦争したり、海賊行為をしてきたゲリラや海賊が投降して、「これから堅気《かたぎ》になりたい」というのを受け入れて、その社会復帰と就労支援をすることだそうです。命がいくつあっても足りなそうな仕事ですよね。

少し前まで人を殺したり、海賊行為を働いていた人たちが「いつまでもこんな暮らしもできないし、堅気になるか」と言い出すのはずいぶん虫のいい話のようにも聞こえます。でも、永井君はそれを受け入れる仕事をやっている。会う前は果たしてどんな「グローバル人材」なんだろうかと思いました。

彼は早稲田大学の教育学部を出てからロンドン・スクール・オブ・エコノミクスで修士号を取った人ですが、早稲田に入ったときにソマリア人の留学生と知り合って、すぐに日本ソマリア友好機構を立ち上げたという。でも、一緒にやってくれる人が集まらない。そうだと思います。早稲田で、「ソマリアと友好しましょう」なんて言っても、リアリティないですから。

その永井君のほうから「会って話をしたい」というオファーがあったので、朝日新聞社でお会いすることになりました。

会って驚いたのはまず声がいいことでした。

「なるほど、これじゃないと無理だろうな」と思いました。声がいいというのはほんとうに大事なんです。たぶんソマリアの海賊やギャングは英語なんてしゃべらないと思います。だから、現地語で会話しているはずです。でも、彼だって現地語がそんなに達者なはずがない。だから、たぶんたどたどしい言葉で意思疎通をはかっているのだと思います。でも、それでもちゃんと通じるんですよ、声がいいと。声は「ヴィークル」です。乗り物なんです。その性能がいいとコンテンツがたとえわかりにくいことであっても、すっと伝わる。そういうことって、あるんです。永井君は浸透性のある響きのいい声をしていました。

それから笑顔がよかった。愛嬌のある、包容力のある笑顔でした。よくアメリカ人がやるような、口を左右に大きく広げるけれど目が笑ってないという業務用の笑顔ではなくて、目から笑ってる笑顔です。

「パンナム・スマイル」と言って、アメリカの航空会社で、客室乗務員に業務用の笑顔を教え込んだことがありました。でも、実験をしてみたら、「パンナム・スマイル」を見た人の九〇パーセントは「この人は笑っていない」と判断したそうです。ほんとうにわずかな目じりのしわの数を人間は見分けることができるという話を森田真生《まさお》君から聞いたことがあります。たしかにそうだろうなと思います。目の前の人の表情から、その人が自分に対して好意を持っているか、ただの作り笑いかどうかを判定することは、生存戦略上きわめて重要だからです。そして、人間にはそれを判定する能力が具《そな》わっている。永井君の笑顔はほんものの笑顔でした。そうじゃないと、ソマリアでは生き延びてゆけないと思います。

そして握手がよかった。握手というのもけっこう大事なポイントですよ。握手って、むずかしいものなんです。日本人には握手の習慣がないからなのか、握手の技術について書かれたものを僕は読んだ覚えがありません。唯一の例外は伊丹十三の『ヨーロッパ退屈日記』で、握手のうまい英国人プロデューサーの話が出てきます。

> わたくしの知る限り、最も握手のうまい人間は、アラン・ブロンというプロデューサーであった。(…) 彼

の手は、常に乾いていて暖く、握手する時には、その長くて力強い手や指を、まるで板のようにピンと伸して差し出すのであった。

普通の人は、いきなり全力で固い握手を結ぶのだが、彼は、一旦《いったん》軽く握ってから静かに力を加えていって、固い握手にまで到達するのであった。

（…）寒い霧の朝、不意にオープン・セットで出会った時など、彼が革の手袋を一瞬のうちに取り去って、手をこちらに差しのべてくる素早さには、目の醒《さ》めるようなものがあった。（伊丹十三、『ヨーロッパ退屈日記』、新潮文庫、二〇〇五年、七一 - 二頁）

むずかしいものなんですよね。あまり早く先に手を差し出すと、微妙に威圧的に感じられる。「先手を取られた」というか、気後れを感じてしまう。それを感じさせてはいけないんです。さりげなく手を差し伸べてきたのに応じて、こちらも自然に手を差し伸べた……という先後のよくわからない握手がいい。武道では「石火《せっか》の機」「啐啄《そったく》の機」と言いますけれど、それです。

永井君と最初にロビーで会ったときに、彼が僕を見つけて、「内田先生ですか」と言いながら近づいてきて、手を差し出しました。僕も手を差し出して、「わ、握手うまいなあ」と思いました。

握手の場合、手が暖かいこと、それから乾いていること、この二つがはずせない条件ですね。

手が冷たいとどきっとしますし、手が湿っていると気持ちが悪い。それから強く握らないこと。トランプ大統領はものすごい力で相手の手を握るんだそうですけれど、これは「どちらがボスか」を確認するための「マウンティング」の握手ですから、マナーとしては最低です。よい握手は握り込まない。ぴたりと付いているけれど、握り込まないというくらいの微妙な接触感。

永井君と会ったときに、その声と笑顔と握手で、「おぬし、できるな」と思いました。会って二秒くらいでした。

異文化との境界線上で仕事をしている人は、自分と言語も宗教も生活習慣も感情生活も違う人と、待ったなしのコミュニケーションを立ち上げなければいけない。そのために必要な能力というのは、語学ができるとか、専門知識があるということより以上に、相手にいきなり信頼されるということであろうと思います。それができなければ、ソマリアのような危険な地域で長期にわたって危険な仕事に従事できるはずがない。

どうして他の人たちが逃げ出すようなところに踏み留まっていられるんだろう、よほど強運な人なのか、よほど豪胆な人なのか、会う前にはいろいろ想像していたのですが、会ってわかりましたが、彼は「できる男」でした。

まったく共感できない他者を支援できるか

その永井君に「なぜ僕に会いたいと思ったんですか？」と訊ねてみました。すると「訊きたいことがある」と言う。「人間関係というのは共感をベースにしないと成立しないものでしょうか？」。それが訊きたかったそうです。

彼は、投降兵や元海賊を相手にしているわけですけれども、正直言って、彼らに共感することはできないと言う。まあ、当然ですよね。これまでに人を殺したり、略奪してきた人たちが前非《ぜんぴ》を悔いて、更生したいと言うので、それを支援する。そう簡単には共感できない。それに、そういう仕事については、周りから温かい支援を期待するということはむずかしい。「余計なことをしやがって」と思われるかもしれない。

子どもを救うとか、妊婦を救うという運動だったら周りも理解してくれるし、協力もしてくれるでしょう。けれども、ゲリラや海賊の就労支援だと、「そんなことよりもっと優先順位の高いミッションがあるだろう」と言われる。人々は戦争の被害者には共感するが、加害者には共感しない。当たり前と言えば当たり前です。加害者たちが「ふつうの市民に戻りたい」と言ってきても、「そんな奴らのために限りあるリソースを割くことはできない」という話にもなる。そこで彼は当惑していたのです。

そして、「まったく共感できない他者を支援するということは可能なんでしょうか？」というのが彼の質問でした。自分が現にしていることについて、「どうして自分はこんなことをしているのか、こんなことができるのか、説明してほしい」という問いでした。

不思議に思われる方もいるかと思いますが、そういう問いというのはありえます。そして、なぜか知りませんけれど、僕はその種の質問をときどき向けられます。

とりあえず「なんでわざわざ僕のところに来たの？」と訊いてみました。そしたら、僕の本を読んでいたわけじゃないし、どんな人だかよく知らなかったということでした。たまたま朝日新聞を見たら、僕のインタビュー記事が出ていて、そこで僕が「現代日本社会は共感過剰だ」と書いていた。それを読んで、会って話を聴きたいと思った。

なるほどと思いました。理解と共感の上に人間関係を基礎づけることのリスクについて僕はよく書いています。たしかに「そんなこと」を言っている人は、僕のほかにはあまりいません。今の世情はまったく逆です。異常に共感を求める。意見の一致を喜ぶ。「絆」とか「ふれあい」とか「ワンチーム」とか、そういう自他の癒合をスローガンに掲げる……。僕はそういうのが「気持ちが悪い」と思ったので、そう書いたのです。人と違っていていいじゃないか。共感も理解もできない人間と、それでも限定的な契約やルールの下で、協働できるなら、それでいいじゃないか。理解と共感がないと、他人とは何も一緒にやれないというのでは、世の中不自由でしょうがない。そういうことを書いたのです。

その記事を読んで、彼は「この人に会いたい」と思った。そして、ストレートに「他者と共感以外のものを基盤にしてかかわりを持つことは可能でしょうか？」と訊いてきたのでした。

それを聞いて、よく僕のところに訊きに来たなと感心しました。だって、僕はいわばその専門家なわけですから。

僕の師匠エマニュエル・レヴィナス先生の重要なテーゼの一つは「他者との関係は理解と共感の上に基礎づけるべきではない」ということです。僕はレヴィナス哲学の「伝道師」ですから、師匠のそのわかりにくい理説をことあるごとに説明して回っています。そういう人間のところにピンポイントでやってきたわけです。「勘のいい人だな」と思いました。数十行程度の新聞記事を読んだだけで、僕の専門領域がわかったんですから。

「理解と共感の上に人間関係を築く」、これが現代日本の「常識」です。だから、みんな必死になって、他人に共感しよう、他人を理解しようと努めている。努力することは別に悪いことじゃないですよ。でも、理解や共感に過剰な価値を賦与すべきではないと僕は思います。

だって、この世のほとんどの人間について、僕たちは理解も共感もできないんです。

それにもかかわらず、人間関係は理解と共感の上に基礎づけられるべきだというイデオロギーだけは蔓延《まんえん》している。変な話です。そんな奇妙なイデオロギーが蔓延しているせいで、「周りの人が理解できない、共感できない自分は『変』だ」という低い自己評価を持つ人が増えてきている。

「コミュ障」という言葉を学生たちが頻用するのを知って、いったいどういう意味だろうと思って訊いてみたら、そういうことでした。自分は、周りの学生たちのように、ことあるごとに激しく頷きあったり、ハイタッチしたり、「そうそうそうそう」とぴょんぴょん跳びはねたりすることができない。自分はコミュニケーション能力に障害があるのかもしれない。そう自己診断している。

たしかに、あらゆるトピックについて、そのつどハイタッチしたり、ぴょんぴょんしたりするのが「ふつう」なら、それができないほうが「おかしい」ことになる。でも、逆でしょう？ あらゆる話題ですべて同意が成立する人間関係なんかあるわけない。はげしく頷きあっている学生たちだって「理解と共感が成立している演技」を必死でしているだけです。そんな演技を四六時中やっていたら、疲れるし、無理して続けていれば、いずれ精神的に壊れてくる。「理解と共感ごっこ」は、そのゲームに参加できない人間を傷つけ、参加している人間をも傷つける。だから、そんなばかばかしいことは止めたほうがいいよということを僕は若い人たちにも言ってきました。いいじゃないですか、「あなたの考えていることがよくわからない」で。そこで終わるわけじゃないんですから。「あなたの考えていることがよくわからない」に続く言葉は「だから、もっと話を聞かせてください」でしょ？ 「あなたのことがもっと知りたい」でしょ？ それがほんとうに親しい人間関係を創り上げてゆくときのキーワードじゃないですか。人を好きになるときって、そういうものです。知り合ってすぐに「あなたのことは全部わかった」と言われたので、恋に落ちた……というようなことは絶対にありません。「あなたという人のことがよ〜くわかったわ」というのは恋の始まりではなく恋の終わりのときに口に出る言葉です。わからない、わからないからもっと知りたい、でも、たぶん完全に知るということはないだろう……というのが人間関係の基本です。そこから始まって、そのまま続いてゆく。

「理解と共感に基づく共同体」はつらい……

でも、日本人はなぜか「場の親密性」「満場一致」を偏愛する。だから、「理解しているふり・共感しているふり」が集団的に強いられるということが起きる。その結果、周りの人間が何を考えているのかわからないけれど、「わかったようなふりをする」技術ばかりにみんな熟達してゆく。

でも、「ふりをしている」だけですから、自分をほんとうに理解し、共感している人間は周りには一人もいない。いたら困る。まことに気持ちの悪いことですけれど、腹の中ではお互いに「自分のことをこいつらはまるでわかっていない」と思いながら、肩を抱き合い、頬を寄せ合って、「オレたち理解し合っているよね」と笑っている。

ほんとうに理解し合うことよりも、場の親密性が優先されている。横にいる人が何を考えているのか、これから何をする気なのかということは一切吟味しないで、外見的に「親密であるふり」だけ繕《つくろ》おうとする。そういうことはあまりしないほうがいいんじゃないかと思います。

日本の家庭はわりとそういう感じです。それはよくないと僕は思う。過剰に親密さを誇示しないほうが家族は穏やかに暮らせるんじゃないかなと思います。

だって、家族というのは一過的な集団に過ぎないからです。全メンバーが揃って暮らすのは、せいぜい二十年かそこらです。だったら、その間だけとりあえず表面的に穏やかに暮らせればそれでいいじゃないですか。家族の誰かが困って支援を要するときには全力で支援するけれど、あまり「心の奥底」には踏み込まない……というような節度が保たれた、温度の低い家族だったら、その二十年くらいはわりと穏やかに暮らせると思います。

家庭が地獄になるのは、親が子どものことを理解していると思い込んで、事細かにコントロールしようとするときと、子どもが親に対して「オレのことをもっとわかってくれよ!」という無体な要求をするときです。いずれも家庭はメンバー同士の相互理解と共感の上に築かれるべきだという信憑がもたらすトラブルです。

でも、現実には、親は子どものことがわからないし、子どもは親のことがわからない。そっちのほうが「ふつう」なんです。その現実を踏まえて、「では、どうすれば少しでも理解が深まるか、気持ちに共感できるか」について努力する。でも、そんなにまじめに努力しなくてもいいと思います。家庭内に「完全な理解」というようなありえない目標を掲げて、日々わが身を減点法で採点するというようなストレスフルな生き方はしないほうがいい。どうしても「したい」というのなら止めませんけれど、疲れますよ。いいじゃないですか、完全な理解なんかに達することができなくても。なかなか人と人というものはわかり合えないものであるなあ、と諦める。それでいいと思います。

そういう僕の「理解と共感に基づく共同体」についてのわりと醒めた知見を語って、永井君には、「君がやっている、『まったく共感できない相手を支援していく』『共感できない相手に寄り添っていく』というのは日本人にはあまり共感されないと思うけど、すばらしいことをされていると思う」とお答えしました。日本ではなかなかそういう考え方は理解されないだろうけれど、ほら、「理解されないこと」がデフォルトなんだから、いいんだよ。がんばってねと励ましました。

事大主義の再来

世を覆っている共感主義の基本にあるのは先ほど来僕が指摘している「多数派は正しい」という信憑です。多数派に属していないということは「変なこと」を考えたり、しているからであって、それは多数派に合わせて矯正しなければならない。そういうふうに考える人がたくさんいる。若い人にも多く見かけます。でもね、そういうのを「事大主義」と言うのです。

あるインタビューで「じだいしゅぎ」と言ったら文字起こし原稿には「時代主義」と書かれていました。なるほど、「時代の趨勢《すうせい》に逆らわない」から「時代主義」なのか。インタビュアーは若い人でした。熟語は知らないけれど、造語能力はあるなあと思いました。でも、「じだい主義」の「じだい」は時代じゃなくて事大です。「大に事《だいつか》える」。弱い者が強い者の言いなりになって身の安全を図ることです。「寄らば大樹の陰」「長いものには巻かれろ」と同じ意味です。

マジョリティというのは「大」「大樹」「長いもの」のことです。多数派の言うことはその正否を問わずにただ従う。それが身の安全である。それが当今の作法ですけれど、もちろん今に始まったことじゃありません。「事大」の出典は『孟子』ですから、それくらい昔からそういう生き方は存在していた。

そういう生き方もたしかに一種のリアリズムではありますけれども、それにしてもマジョリティであるかマイノリティであるかは、それぞれが主張していることの真偽正否とは関係ありません。「和を乱さない」ということは集団を安定的に維持するためには必要なことです。でも、ものには程度というものがある。日本の場合は、その度が過ぎます。

僕が「和」をあまり好まないのは、「和」を過剰に求める人は、集団の他のメンバーに向かって「そこを動くな」「変わるな」と命ずるようになるからです。自由に運動しようとするもの、昨日までとは違うふるまいをしようとする人間が出てくると、たしかに集団は管理しにくくなります。だから「和を尊ぶ」人たちは、基礎的なマナーとして「身の程を知れ」「おのれの分際をわきまえろ」「身の丈《たけ》に合った生き方を知れ」という定型句をうるさく口にするようになる。

こういう言葉は僕の子どもの頃まではよく使われました（僕もよくそう言って叱られました）。でも、ある時期から言われなくなった。一九六〇年代からあとはほとんど耳にすることがなかった。むしろ「身の程を知らず」「分をわきまえず」「身の丈を超える」生き方こそが奨励された。

高度成長期というのはまさにそういう時代でした。人々は「身の程を知らない欲望」に駆動されて、「おのれの分際をわきまえず」に枠を踏み外し、「身の丈に合わない」大きな仕事を引き受けた。国に勢いがあるときというのはそういうものです。「早めに自分のキャラを設定して、自分のタコツボを見つけてそこに一度はまり込んだら、そこから出るな」というようなことを僕は若いときには誰からも言われたことがありません。たまにそれに類することを言う人がいても、鼻先でせせら笑って済ませることができた。だって、こちらは現に「身の程を知らないふるまい」をしていて、それでちゃんと飯を食っていたわけですから。

その定型句がなぜか二十一世紀に入ってから、また復活してきた。気がつけば、頻繁《ひんぱん》にそう言われるようになった。それは単純に日本人が貧乏になったからだと僕は思います。

少し前に僕の友人の若手の研究者が同世代の学者たちと歓談したときに、談たまたま僕のことに及んだことがあったそうです。するとたいへん僕は評判が悪かった。どこがダメなのと僕の友人が興味にかられて訊いてみたら「専門以外のことについて口を出すから」だというお答えだったそうです。学者は自分がきちんとアカデミックな訓練を受けた守備範囲から出るべきではない。フランス文学者ならそれだけをやっていればいい。それ以外のことについては素人なんだから、口を噤《つぐ》んで専門家に任せるべきだ、と。

なるほどと思いました。時代は変わったなあ、と。

でも、そんなこと言われても困るんですよ。僕は「専門以外のことについて口を出す」ことで飯を食ってきたわけですから。フランスの哲学や文学についてはいくつか論文も書きましたけれど、興味はそこにはとどまらない。ついあちこちに食指が動く。武道論も、教育論も、映画論も、身体論も、マンガ論も、能楽論も、自分の興味の赴くままに、書きました。でも、どれも専門領域というわけではありません。

武道は四十五年修業していて、自分の道場を持って、数百人の門人を育ててきましたけれど、武道の専門家と名乗るのは今でも恥ずかしい。教育は三十五年それを職業にしてきましたけれど、教育学や教育方法の専門家ではありません。「教壇に立ったことがある」というだけです。映画は若い頃から年間二〇〇本くらいのペースで観てますし、映画についての本も何冊か書きましたけれど、昔から映画の筋も俳優名も観たら忘れてしまう。能楽はそろそろ稽古を始めて二十五年になりますけれど、ただの旦那芸です。

どの領域でも僕は「専門家」とは言えません。半可通の半ちく野郎ですが、何も知らないわけじゃない。ちょっとは齧《かじ》ったことがあるので、その領域がどういうものか、「本物」がどれくらいすごいかは骨身に沁みて知っている。自分にはとてもできないということはわかる。僕の学問だって、こう言ってよければ「旦那芸」です。でも、どの分野についても、その道の「玄人」がどれくらいすごいのか、それを見て足が震えるくらいのことはできます。そこがまるっきりの素人とは違います。自分が齧ってみたことがあるだけに、それぞれの専門家がどれくらい立派な仕事をしているのか、それを達成するためにどれくらいの時間と手間をかけたのかがわかる。そういう半素人です。

でも、そういう半素人にも存在理由はあると思うのです。専門家と素人を「つなぐ」という役割です。僕の仕事は『私家版・ユダヤ文化論』も『寝ながら学べる構造主義』も『レヴィナスと愛の現象学』も『若者よマルクスを読もう』(これは石川康宏さんとの共著)も『能はこんなに面白い!』(これは観世流宗家との共著)も、どれも専門家と素人をつなぐための仕事です。どの分野においても、僕は専門家ではないけれど、専門家の仕事を読者に嚙み砕いてお伝えすることはできる。そうやって底辺を広げることはできる。底辺が広がらないと高度は得られないと思うからです。でも、そういう仕事は「専門家のもの」としては認知されない。そして、たまに「専門領域でもないことについて中途半端に口出しをするな」と叱られる。

でも、それが僕には納得できないんです。僕のような半素人が一知半解の言説を述べたとしても、そこにいくばくかの掬《きく》すべき知見が含まれていることもある(かもしれない)。それがおもしろいと思う人は読めばいいいし、読むに値しないと思う人は読まなければいい。それでいいじゃないですか。「掬すべき知見が含まれているかどうか」は先方が判断することであって、僕が決めることじゃない。ましてや、僕に向かって「決められた場所から出るな」と言われてもおいそれと肯《うべな》うわけには参りません。繰り返し言うように、僕は決められた場所から出て、好きなところをふらふら歩き回ることで食ってきたわけで、「やめろ」と言うのなら休業補償してほしい。

でも、この「おのれの分際をわきまえろ」「身の程を知れ」という恫喝《どうかつ》は最近ほんとうによく聞くようになりました。

小田嶋隆さんが前にツイッターで財務大臣について批判的に言及したら、「そういうことは自分が財務大臣になってから言え」という驚嘆すべきリプライがついていたことがありました。でも、こういう言い方は、たしかに近頃ほんとうによく目にします。

僕が政治的なことについて発言したときにも「それならあなた自身が国会議員になればいいじゃないか」と絡まれたことがあります。僕の知り合いが、ある有名ユーチューバーについて批判的なコメントをしたら、「そういうことは再生回数が同じになってから言え」と言われた。ある若手経営者について批判したら「そういうことは同じくらい稼いでから言え」と言われた。

全部パターンが同じなんです。批判したければ、批判される対象と同じレベルにまで行け、と。だから、「権力者を批判したければ、まず自分が権力者になれ」ということになる。それはいくらなんでも没論理的ではないですか。「現状に不満」というようなことは現状を変えることができるくらいの力がある人間にしか言う資格がない。無力な人間には、そもそも「現状に不満である」と言う権利がない。こんな言明にうっかり頷いてしまったら、もう「現状を変える」ことは永遠に不可能になります。だって、今あるシステムの内部で偉くなろうとしたら、まずシステムを受け入れ、そのルールに従い、他の人たちとの出世競争に参加して、そこで勝ち残らなければならないからです。勝ち残ることができなくて、途中で脱落すればもちろん現状は変えられない。勝ち残ってしまったら、「自分を出世させてくれたシステム」を変える必然性がなくなる。グルーチョ・マルクスのように「自分を入会させるようなクラブには入会したくない」ということが言えるのはごく例外的な人だけです。ふつうの人は「自分が偉くなれる仕組みはよい仕組みである」と考える。

「現状に不満があったら、まず現状を変えられるくらい偉くなれ」という言明は人を現状に釘付けにするためのものです。人を今いる場所に釘付けにして、身動きさせないための「必殺のウェポン」として論争で愛用されている。実に多くの人たちが喜々としてその定型句を口にしている。

こういうのは時代の「空気」を映し出しているんです。どういう「空気」かというと、「自分に割り振られたポジションにいて、そこから出るな」という圧力です。その圧力が大気圧のように日常化している。日常化しているので、圧力がかかっているということ自体が実感されない。

ミスマッチでいいじゃない

共感主義者たちは「和」をうるさく言い立てます。異論を許さず、逸脱を許さない。みんな思いを一つにしないといけない、われわれは「絆」で結ばれている「ワンチーム」なんだ、と。でも、このときに彼らがめざしている「和」なるものは、多様なものがにぎやかに混在して、自由に動き回っているうちに自然に形成される動的な「和」ではありません。そうではなくて、均質的なものが、割り当てられた設計図通りに、決められたポジションから動かず、割り振られたルーティンをこなすだけの、生命力も繁殖力も失った、死んだような「和」です。

「調和すること」と「静止すること」はまったく別のことです。でも、共感主義者たちは、その違いを意図的に混同させています。今の日本社会では「動的な調和」ということは求められていません。求められているのは「割り当てられた場所から身動きしない」ことです。その「檻《おり》」を形成しているのが、粘ついた共感です。自他の粘ついた共感による癒着が、人が自由に動くことを妨げている。

共感なんか、なくてもいいじゃないですか。そんなものばかり求めていると、身動きできなくなりますよ。きちんと条件を定めて、ルールを決めておけば、共感できない人、理解できない人とでも、共生し、協働することはできる。何らかの「よきもの」をこの世に送り出すことはできる。ソマリアの永井君がしているように。そのほうが粘ついた共感の檻に閉じ込められて、身動きできずにいることよりも、ずっと愉快だし、有意義だと僕は思います。でも、そのことをアナウンスする人が少ない。

もうずいぶん前のことですけれど、凱風館を設計してくれた建築家の光嶋裕介君が、東日本大震災の後、建築家仲間たちと被災地支援に行ったことがありました。テレビニュースの映像を見たら、被災者たちは体育館の床に寝ていて、プライバシーがない。そこで、体育館をカーテンで細かく区切れば、個室的に使えて、ストレスもずいぶん軽減するだろうと思いついて、カーテン生地やカーテンレールを車に積んで、被災地を訪ねたのです。そして、「カーテンをつけたいんですけど」と言ったら、あちこちで迷惑顔をされたそうです。「勝手にしたら」というのはましなほうで、「余計なお世話だ」と断られたところもあった。家族を失い、家財を失い、生業を失い、これからどう生きたらいいかわからないという絶望的な状況にいる被災者には「プライバシーの保護のためのカーテン取り付け」というアイディアが「お気楽」に思えたのでしょう。

それで光嶋君はけっこう落ち込んで帰ってきたのです。そのときに、僕はかつて阪神大震災の被災者だった経験を思い出して、「気にすることないよ。ボランティアって、基本的にはミスマッチなんだから」と彼に言いました。持ち込みの善意なんだから、最初からミスマッチ覚悟で行けばいいんだよ。一〇人に一人くらい「ありがとう」と言ってくれる人がいたら、それで十分くらいの気持ちで行けばいい。

阪神の震災のあと、僕の住んでいたマンションが半壊したために、芦屋の小学校の体育館で寝起きしていたことがありました。数日後から、学生ボランティアが体育館にやってきました。でも、まだ指揮系統もはっきりしないし、仕事の優先順位もわからない。だから、何をしていいかわからなくて、なんとなくその辺でうろうろしている。そのうち、することがなくなった学生たちが校庭でサッカーを始めました。これにはさすがに少し「かちん」と来ましたけれど、よく考えたらしかたがないんですよ。向こうが「したいこと」と、被災者が「してほしいこと」をすり合わせる機関がないんですから。そのときに、「なるほど、ボランティアというのは本質的にミスマッチなんだな」と思いました。

震災当時、僕の友人の外科医が東京で開業していました。ニュースを聴いてすぐに自分の車に医療器具と医薬品を積み込んで神戸まで走ってきた。そして市役所に駆け込んで、「外科医だが、どこに行けばいいか」と訊いたら、迷惑顔をされた。ボランティアの配備とか宿泊の手配とかをするような余力は行政にはないから、悪いけれど帰ってくれと言われたそうです。しかたがないので、近くの小学校が避難所になっていたのを見つけて、そこに臨時の診療所を開いて、三日間診療してから東京へ帰りました。後で会ったときに行政の対応にずいぶん怒っていました。

でも、同じようなことは災害がある度に、繰り返し各地で起きていると思います。僕はそういうのはしかたがないと思うんです。災害があって、そこにボランティアが駆けつけたら、ボランティアの「やりたい仕事」と被災者の「してほしい仕事」の「欲望の二重の一致」が成立した……というようなことは期待しないほうがいい。期待するから失望する。期待がなければ、失望することもない。たぶん行っても「お門違《かどちが》い」なんだろうなと思って行くほうが現実的だと思います。

矢も楯もたまらず被災地に駆けつける「惻隠《そくいん》の情」は人間の美質です。すばらしいことです。でも、動機がどれほど純良でも、動機が純良であれば、必ず「お待ちしていました。ありがとうございます」という歓待で迎えられるわけじゃない。そういう場合には、必ず共感の共同体が成立するとは期待しないほうがいい。

ミスマッチでいいじゃないですか。知らない同士がそれぞれの思いを抱えてピンポイントで出会うんですから、共感できないのが当たり前です。ぜんぜん共感できないし、相手が何を思っているのかさっぱりわからないときには、「何をしたらいいですか？　教えてください。お願いします」と言う。もしそのときに、「バカ野郎、何をしたらいいかわからないなら、はじめから来るな」というような無体なことを言う人がいたら、「これは失礼しました」とそっと立ち去ればいい。さっきも言いましたけれど、一〇人のうち一人くらいに「ありがとう」と言ってもらえたら御の字というくらいの低めの目標設定のほうがいいと思います。

ミスマッチを「悪いこと」だと考えるから傷つくんです。人生はミスマッチだらけです。僕たちは間違った家庭に生まれ、間違った学校に入り、間違った人と友だちになり、間違った相手と結婚して、間違った仕事を選んで、間違った人生を送る。そういうものなんですよ。それでいいじゃないですか。それだってけっこう楽しいし、そこそこの「よきもの」を創り出して、この世界に遺《のこ》していけるし、周りの人からは「楽しそうな人生を送りましたね」と言ってもらえたりするんですから。

「ミスマッチ」が悪だと思うのは「マッチすること」がふつうだと思っているからです。

共感主義者たちは「マッチすることがふつうだ」と思っている。だから、「何も言わなくても、気持ちが通うはずだ」というようなとんでもないことを期待する。

そんなわけないじゃないですか。

逆なんです。ふつうは何も言わないと気持ちは通いません。百万語を費やしたって気持ちが伝わらないことだって、しょっちゅうあるんです。

人間というのは「よくわからないもの」なんです。でも、そういう「よくわからないもの」が親子であったり、友だちであったり、夫婦であったり、師弟であったり、ビジネスパートナーであったりして、結果的に何か「よきもの」が創り出せるなら、以《もっ》て瞑《めい》すべしだと思う。

僕は今でも死んだ両親や兄のことをよく夢に見ます。目が覚めてから、「そうか、そういうことだったのか。あの人って、そういう人だったのか」と腑《ふ》に落ちることがあります。父は死んでもう二十年になりますけれども、今でもよく父のことを文章に書きます（今回も書きました）。書く度に、父がほんとうは僕に何を言いたかったのかが薄紙を剝《は》ぐようにわかってきます。半世紀も前の父の一言の意味がその頃の父の年齢をはるかに過ぎた今になってわかったりする。一緒に暮らしているときに僕から見て父は「よくわからない人」でしたけれど、死んでからだんだんと理解が深まった。だったら、そんなに焦ることはないと思います。生きて一緒にいるときにはわからなくて、死んでからわかることだってある。それでいいじゃないですか。

最近娘との往復書簡を本にしました。手紙をやりとりしているうちに驚いたのは、自分が経験した忘れがたい出来事のいくつかについて、娘がまったく違う記憶を持っていることでした。違う話になっている。どちらかが（あるいは両方が）記憶を書き換えているのでしょうけれど、もう過ぎたことですから、過去に戻って確かめることができない。

でも、それでいいじゃないかと思うんです。二人とも同じ記憶を共有している出来事もあり、同じことについて二人の記憶が違う出来事もある。そういうものだと思います。「二人の記憶が違う出来事」はどちらかが（あるいは二人ともが）うまく呑み込めない出来事だったからです。自分の記憶のアーカイブにきちんと収蔵することができなかった。だから、手を加えた。もちろん無意識的にしたことですけれども、「記憶を改変した」。それについてはうっすら

とした「疚《やま》しさ」を持ち続けている。だから、そのうちにそれぞれが相手について

「薄紙を剥ぐように」わかってくると、記憶の表情が変わってくる。「これまで知らなかったけれど、この人は『こういう人』だったんだ」とわかると、それまで意味不明だったのでぼんやり後景に退いていた出来事が前景に出てきて、「その人らしいふるまい」として記憶のアーカイブに定着する。僕たちはそういうことを繰り返しているんじゃないかと思います。

第二章

習合というシステム

「異物との共生」を可能にする習合システム

共感や理解を急ぐことはない。この本で言いたいのは第一にそのことです。僕が「習合」という言葉に託しているのは、「異物との共生」です。そのことのたいせつさが見失われているのではないか、異物を排した純粋状態や、静止的な調和をあまりに人々は求めすぎているのではないか。そんな気がします。それが社会が生き生きとしたものであることを妨げている。

いくつかの構成要素が協働しているけれど、一体化してはいない。理解も共感もないけれど、限定的なタスクについては、それぞれ自分が何をしなければいけないのかがわかっている。そういうシステムのことを「習合的」と僕は呼びたいと思います。

『七人の侍』とか『荒野の七人』とか『ナバロンの要塞』とか、僕が子どもの頃に熱愛した映画は、それぞれ一癖も二癖もありそうなスペシャリストたちが集って、困難なミッションを果たすという話でした。彼らはみんなもともとスタンドアロンのプレイヤーです。でも、今回は一人では達成できないミッションなので暫定的にチームを組んでいる。そして、メンバーを見渡して、このチーム内で自分がもっとも高いパフォーマンスを発揮できるポジションは何かを判断して、なすべき仕事をなす。リーダーである勘兵衛（志村喬《たかし》）も、クリス（ユル・ブリンナー）も、マロリー大尉（グレゴリー・ペック）も、誰もメンバー間に共感や理解を求めたりはしませんん。親密であることも求めない。やるべき仕事をやってくれるなら、あとはどうでもいい。どういう人間であるか、出自や来歴は問わない。こういうのは、わりと「習合的」な集団だったと思います。僕はそういうチームが好きでした。

でも、近年のチームものはなんか違うんです。たとえば、『ワイルド・スピード』シリーズ。これもチームで困難なミッションを達成するというスキームは同じなんですけれど、メンバー同士が愛し合ったり、誤解し合ったり、離別したり、和解したりと、ミッション以外のことでやたらに時間と手間をかけている。リーダーのドミニク（ヴィン・ディーゼル）を囲んで、家族や幼馴染や姻戚が集って濃密な一体感を形成し、しょっちゅうBBQをして自分たちの絆を確認し合っている。悪いけど、そこまでこまめに一体感を確認し合わないとミッションが達成できないのかよと思います。

シルヴェスター・スタローンがリーダーのバーニーを演じる『エクスペンダブルズ』シリーズについても同じ感想を抱きます。こちらも物語の四分の一くらいは仲間同士でつるんで「オレたち仲良しだよね」ということを執拗なまでに確認し合っている。同じ柄のタトゥーを入れたり、同じ銘柄のビールを飲んだり、同じ仕様のバイクに乗ったり……。

自分たちがチームであること、愛し合い、理解し合い、共感し合っていることを確認することのほうが、チームに与えられたミッションをリアルかつクールに遂行することより優先する。一九五〇－六〇年代の他人行儀な「チームもの」と二〇〇〇年代以降の共感過剰な「チームもの」を見比べると、この違いが際立つような気がします。だから、これはもしかすると世界的な傾向なのかもしれません。世界的に共感主義がはびこっている。

共感主義的な集団においては、メンバーは何よりもまず集団とリーダーに対する忠誠心を求められる。能力は二の次です。まず忠誠心。そして、次に割り当てられた役割からはみ出さないこと。変化してはいけない、進化してはいけない、成長してはいけない、複雑化してはいけない。はじめからずっと同じキャラクターのままでいること。それが共感主義集団のルールです。変わること、成長することを禁じられている。生き物なら息が詰まる。生きた気がしない。その不満の受け皿になるのが、粘ついた共感です。粘ついた共感によってチームがべたべた癒着することで「身動きができない」という負の経験を「みんなと一体化している」という喜びの経験に書き換えている。

『七人の侍』の中の感動的なエピソードの一つは、最初のうちはみんなのお荷物だった若侍の勝四郎（木村功）が、野武士との戦いを通じて、しだいに成熟してゆき、生き残ったときには最初とは別人のような侍になっていることです。それは『荒野の七人』のチコ（ホルスト・ブッフホルツ）も同じです。仲間は次々死んでゆく。でも、死者たちひとりひとりの相貌《そうぼう》を記憶し、その死を背負ってゆくことで、若者は大人になる。ちゃんとビルドゥングスロマンになっている。でも、今どきの共感主義の物語では、若者が大人のチームに放り込まれて、そこでの経験を通じてしだいに成熟するという話はほとんど見ることがありません。「変わる」ことへの強い禁圧がメンバー全員にのしかかっている集団では、若者に成熟の機会はありません。

「習合」というのは個々のメンバーは出自も属性も異にしているので、同質性とか「オレたち同じだよね〜」という一体感によってはつながることはできないけれど、集団として果たすべき仕事は果たす。そういう仕組みです。それはミトコンドリアのような生物の共生態から国民国家まで、極大から極小まで、あらゆるレベルにわたって観察することができます。

僕がこの本で主張したいのは、習合は社会集団が寛容で、かつ効率的であるためによくできたシステムではないかという仮説です。特に日本列島住民は古代から異物と共生することでこれまで「うまくやってきた」んですから。だったら、これからもその伝統を守ってゆけばいいじゃないですか。「あちらが立てばこちらが立たず」というときに「そこを枉《ま》げて、あちらもこちらも立てる」ということです。両立しがたいもの両方の顔を立てる。それについての技術知とでもいうべきものを日本列島住民は長い歴史をかけて獲得してきたはずです。そうじゃなければ「雑種文化」なんか成立するはずがない。僕はそう思います。

農本ファシズムという習合態

先ほど話に出た愛農高校ですが、創立者は小谷《おたに》純一という人です。調べてみたら、小谷はなかなか興味深い履歴の持ち主でした。

　小谷は京都帝大農学部を出た農業指導者で、またキリスト教の伝道者だった人物です。大学卒業後に満蒙開拓青少年義勇軍運動に参加しますが、のちに国権主義化したこの運動を嫌って離脱します。敗戦後、この運動にコミットしたことを恥じて、師範学校の教職を辞し、郷里に「愛農塾」を開きます。これが発展してできたのが愛農会で、それが創設したのが愛農高校です。小谷はその初代校長でした。この履歴を見ると、彼が「農本主義的キリスト者」という習合的なキャリアの人であることがわかります。

　少しだけ思想史的な説明をしますと、世界恐慌のあと、日本では中小農家が没落し、窮乏化した農民たちを糾合するかたちで、反近代・反資本主義・反都市を標榜する過激な農本主義が広がりました。「兵農一致」論を説いた橘孝三郎《たちばなこうざぶろう》、相互扶助的な「社稷《しゃしょく》」共同体論を唱えた権《ごん》藤成卿《どうせいきょう》らが農本主義イデオローグの代表です。

　農本主義は日本の土着のイデオロギーですから、自由民権運動から七〇年代のヒッピー・ムーヴメントを経て、現代のエコロジーまで、時代ごとに意匠を変えて繰り返し登場してきます。土着のイデオロギーは外来のさまざまな思想と習合することで生命力を得るのです。戦前の日本では、農本主義はファシズムと癒合して、農本ファシズムという習合態をとりました。

　農本ファシズムの特徴は、さきに挙げた反近代・反資本主義・反都市という志向が、運動においては家族的組織を通じて実現されることです。権藤が説いた「社稷」というのは、行政組織や人工的機構のことではなくて、もっと地面に近い生活共同体のことです。それは郷土の山河や里山のことであり、郡村や府県のような行政単位のことであり、国家のことでもある。ですから、グローバル化が進んで、国家の国境線がなくなった後も社稷は生き残る。社稷はそういう政治的虚構ではなく、生きものだからです。国境線とも軍隊とも官僚組織とも中央銀行とも無関係に社稷は永遠に存続する。

各國悉《ことごと》く其の國境を撤去するも、人類にして存する限りは、社稷の観念は損減を容《ゆ》るすべきものでない。(権藤成卿、『自治民範』、平凡社、一九二七年、二六二頁)

この反中央集権的な、農本主義的アナーキズムは一九三〇年代の農村の知的な若者たちの眼にはずいぶん魅力的に映っただろうと思います。しかし、農本ファシズムはその後、国権主義に屈服して、満州国建国以後は、窮乏した農民たちを中国大陸に送り込む帝国主義的国策の尖兵に変容しました。小谷が一時期属した満蒙開拓移民運動はまさに農本主義が植民地主義と癒合したものでした。

小谷はそれは彼が求めていたほんとうの農本主義ではないと考えて、戦後に「キリスト教的な農本主義」の可能性を探った(たぶん、そうだと思います)。

僕が愛農高校で感じたのは、反近代・反資本主義・反都市的で、かつキリスト教的な農本主義的アナーキズムとでも呼ぶべきものでした。そして、それが僕はなんだかとても「懐かしい」ものに思えたのです。出自の異なるいろいろなものが排除し合わずに、癒合することもなく、ごく自然に共存していたからです。だから、愛農高校を見て僕は「すごく日本的」だと感じたのです。土着のものと外来のものが混ざり合って、そこにさらに新しく来た外来のものが癒合して……どんどん「上書き」されてゆくものが日本列島では文化的に強いというのが僕の個人的意見だからです。

氷炭《ひょうたん》相容《あいい》れざる二原理が、その違和にもかかわらず無理やり相容れてしまったときに、淡水と塩水がまざった「汽水域」のような文化的領域が生成する。そこは植物相も動物相も多様で、よく魚が獲れる。だとしたら、原理が純正であることよりも、とりあえずは「魚がたくさん獲れて、飢餓に苦しまない」ということのほうが人間にとっては優先するんじゃないか。僕はそういうふうに考えます。

過去のスローガンや衣裳を借用するとき

そのことを僕が実感したのは、一九六八年の佐世保での三派系全学連のエンタープライズ号寄港阻止闘争を見たときでした。もう何度も書いたことですけれど、ほんとうに忘れがたい経験だったので、もう一度繰り返します。

革共同中核派と社学同と社青同解放派が三派系全学連を結成したのは、一九六六年のことです。リアルタイムでは高校生だった僕はそんな学生組織の存在を知りませんでした。新聞だって報道しないし、テレビのニュースにもならない。だから、三派系全学連というのがどういう「ヴィジュアル」のものだか僕は知りませんでした。そして、佐世保闘争のときにテレビのニュースで彼らをはじめて見た。そして、ほんとうに魂が震えるような思いをしました。六〇年安保闘争のときの学生たちは学生服でデモをしていましたけれど、三派系の学生たちは、ヘルメットをかぶって、ゲバ棒を持って、赤い自治会旗をかざしていた。

それが兜《かぶと》と槍と旗指物《はたさしもの》だということを僕は直感しました。ペリーの黒船来襲のとき、招集された武士たちが浦賀に駆けつけましたが、蒸気機関の砲艦を迎え撃つのに、侍たちは戦国時代の先祖伝来の甲冑《かっちゅう》を着て、槍を担ぎ、旗指物を掲げていました。最新兵器に対して、まったく時代遅れの、まったく無用な武装で応じてみせたのです。

エンタープライズ闘争は黒船来襲の再演でした。世界最大の軍事力を背景に、空母エンタープライズは、日本人にベトナム戦争へのさらなる加担、さらなる対米従属を求めて来港しました。その「黒船」に対する切羽詰《せっぱつ》まった抵抗が無意識のうちにあの伝統的なスタイルを選ばせた。

白村江の戦いで大敗したあと、唐軍の来襲に備えて北九州に水城《みずき》を築いたり、防人《さきもり》の制を調《ととの》えたときの七世紀の日本人たちも、元寇のとき対馬沖に水平線を埋め尽くす艦隊が押し寄せたときに海岸に立った対馬の騎馬武者たちも、ペリー来航のときに浦賀に駆けつけた侍たちも、佐世保で空母の寄港を棒一本で押しとどめようとした学生たちも、そのマインドセットにはある共通性があった。同一の意匠が繰り返し甦っている。

カール・マルクスが『ルイ・ボナパルトのブリュメール一八日』で書いているように、まったく新しいことをしているつもりでいるときに、人間は「過去の亡霊」を呼び出し、過去の「スローガンや衣裳を借用」します。遠い昔に誰かが使った台詞を繰り返し、埃《ほこり》を払って古い衣装に手を通す。

そういうものなんです。ローカルな政治課題についての、ローカルな闘争が「世界史の場面」に転換するためには、そのような仕掛けが必要なんです。

僕が全共闘運動で評価するのは、その点です。黒船を迎え撃つために駆けつけた侍のスタイルを無意識のうちに模倣した彼らの直感を僕は評価します。以後三年にわたって、日本中の大学を無秩序状態に叩きこむような政治的な熱やうねりがそこから生まれたんですから、たいしたものです。

土着的情念の喚起なくして政治的熱はなし

日本で政治的活動がある程度以上の熱を得るためには土着的な情念を喚起することが不可欠

である。僕はそう考えます。三島由紀夫はそれを政治理論化しようとしました。残念ながら、彼の土着はあまりに知的な構築物であり、身から浸み出るようなアーシーなものが足りなかったとは思いますけれど。

六九年五月の駒場での東大全共闘との「討論」会で三島は過激派学生たちに不思議な連帯の挨拶を送りました。

これはまじめに言うんだけれども、たとえば安田講堂で全学連の諸君がたてこもった時に、天皇という言葉を一言彼等が言えば、私は喜んで一緒にとじこもったであろうし、喜んで一緒にやったと思う。（笑）これは私はふざけて言っているんじゃない。常々言っていることである。なぜなら、終戦前の昭和初年における天皇親政というものと、現在言われている直接民主主義というものにはほとんど政治概念上の区別がないのです。これは非常に空疎な政治概念だが、その中には一つの共通要素がある。その共通要素は何かというと、国民の意思が中間的な権力構造の媒介物を経ないで国家意思と直結するということを夢見ている。この夢見ていることは一度もかなえられなかったから、戦前のクーデターはみな失敗した。しかしながら、これには天皇という二字が戦前ついていていた。それが今はつかないのは、つけてもしようがないと諸君は思っているだけで、これがついて、日本の底辺の民衆にどういう影響を与えるかということを一度でも考えたことがあるか。これは、本当に諸君が心の底から考えれば、くっついいて、こなければならぬと私は信じている。それがくっついた時には、成功しないものも成功するかもしれないのだ。（三島由紀夫・東大全共闘、『討論　三島由紀夫vs.東大全共闘　美と共同体

と東大闘争』、角川文庫、二〇〇〇年、六四頁、強調は内田）

なんと三島由紀夫はここで「くっつく」という言葉を使っています。全共闘の学生たちがめざしていたきわめて観念的な直接民主主義（ある種のアナーキズム）は天皇が結びつかないと「日本の底辺の民衆」は動かない。三島はそう考えていました。

僕は三島とは政治的意見がまるで違いますけれど、アナーキズムという近代的な政治的観念と天皇制太古的な政治的幻想が「くっつく」ことなしには、日本では政治的革命は起きないだろうという見通しについては三島に同意せざるを得ません。日本の歴史上、成功した革命で「天皇抜き」に構想されたものはないからです。だから、「日本における唯一の革命の原理は天皇にしかない」（同書、一四〇頁）と言われると有効な反論ができない。

東大全共闘との討論を収めた本のあとがきに三島はこう書いています。

> 要約すれば、私の考へる革新とは、徹底的な論理性を政治に対して厳しく要求すると共に、一方、民族的心性（ゲミュート）の非論理性非合理性は文化の母胎であるから、（三派諸君も、意識的にか無意識的にか、この恩恵を蒙つてゐることは明らかである）、この非論理性非合理性の源泉を、天皇概念に集中することであつた。
> （同書、一四二頁、強調は内田）

三島は三派系全学連の過激派学生たちが「意識的にか無意識的にか、この恩恵を蒙《こうむ》つてゐる」ことを指摘しています。ここで三島が何を指して「恩恵」と言っているかは明示的ではありませんが、僕はそれは学生たちが演じたある種の「先祖返り」、土着的・古代的なエネルギーの「再利用」のことを指しているのではないかと思います。だとしたら三島は過激派学生たちと等しくこの「文化の母胎」からその政治的活力を汲み上げようとしていたことになります。

この討論会で三島は終始上機嫌で、大声で笑い、ひっきりなしに煙草をふかしています。三島は別に全共闘の学生たちと討論しに来たわけではありません。プロパガンダのために、具体的に言えば、彼が準備中の「クーデタ」の戦闘要員のリクルートに来たのです。僕はそう解釈しています(同じ意見の人はほとんどいませんけれど)。だから、両者の相違点ではなく、共通点の研ぎ出しにあれほど熱意を示したのだと思います。

合気道とレヴィナスを「修業」する

凱風館の思想と実践も習合的なものだと僕は思っています。エマニュエル・レヴィナスをはじめ、僕がこれまで学んできたヨーロッパの哲学と日本の伝統的な武道のエートスが一つに習合している。ただ、これは僕が頭で拵《こしら》えたものではありません。僕の場合は、習合がすでに個人の精神と身体において実現していて、それに後知恵で、「なるほど、これは習合だ」と膝を叩いた……という順序でことが進んだからです。

二十五歳のときに多田宏先生に出会って、この人を武道の師としようと決意し、三十歳の頃にレヴィナス先生に出会って、この人を哲学の師としようと決意した。二人の師に相次いで出会ったことによって、僕の人生の骨格の部分が決まりました。以後四十年以上を僕は倦《う》まず弛《たゆ》まずこの二人の師の足跡を追って、「修業」してきています。

合気道は「修業」でいいだろうけれど、哲学を「修業」するというのはちょっと違うんじゃないか、そんな言い方はしないんじゃないかと怪訝《けげん》な顔をする方がおられるかもしれませんけれど、僕の場合はやっぱりこれは「修業」なんです。僕はレヴィナス哲学を「学んだ」とか「研究した」わけではなく、やはり「行」として実践したのだと思います。

はじめて合気道を稽古し始めたときに、いったいこれはどのような心身の能力を開発するものなのか、僕にはさっぱりわからなかった。僕はストリートファイトで強くなりたくて入門したのだけれど、先生は「蓋《けだ》し兵法者は勝負を争わず、強弱に拘《こだわ》らず」と教えている。勝敗強弱巧拙を論じないでいったい何を稽古しているのか、僕にはうまく理解できなかった。でも、師を信じて、言われる通りの稽古を積んだ。すると何年か稽古しているうちに、それまで感知したことのなかった身体部位を感知し、それまでしたことのない身体運用ができるようになっていた。稽古した後になって、稽古によって自分の心身が変容した後になって、自分が何を稽古してきたのか事後的・回顧的に了解される。修業はそういう順逆が反転したかたちで進むということがわかりました。自分が何を稽古しているのか、何を達成し、何を獲得しようとして稽古しているのかは、長く稽古してみないとわからない。そういう非論理性が修業の骨法です。多田先生についてそのことを学びました。

ですから、レヴィナスをはじめて読んだときに、何が書いてあるのか、まったく理解できなかったけれど、僕はそれほど慌てずに済みました。それはその前に多田先生について「修業する」ということを理解していたからです。

この人は何を言っているのかぜんぜんわからない。けれども、それは僕の側の単なる哲学史的知識の不足ではない。あと何百冊か本を読んだらわかるようになるというものではない。このテクストを理解できるほどの知的成熟段階に自分が達していないからわからないのだということがわかった。レヴィナスがわからないのは、僕が無知だからではなく、僕が「子ども」だからである。だから、このテクストが理解できるくらいの「大人」にならないといけない、ということはわかった。

それでレヴィナスの翻訳を始めたわけですが、これはほとんど写経するようなものでした。意味はわからない。でも、毎日ちょっとずつフランス語を日本語に転写する。その行のような仕事を何年も続けているうちに、だんだん「呼吸が合って」くる。

伝統芸能の内弟子が、師匠について旅をしているうちに、「師匠、喉が渇いたのかな」「トイレに行きたいみたいだな」「もうお疲れらしいな」ということがわかってくるのと似てます。師匠の芸を直接学んでいるわけではないけれど、その生理過程になんとなく同期してくる。息遣いがわかってくる。実際、レヴィナスという人はものすごく「ブレスが長い」人なんです。だから、文の句点が来るより前に、単語一つがきっかけになって逸脱が始まる。あらぬ彼方に歩き始めて、それが何行も続く。こちらはもうそれに付いていくしかない。「先生、駅はこっちですよ」とか言って袖を引いても止まらない。「あっち」に歩き出しちゃったんですから、付いていくしかない。

そういう「内弟子」的な修業を積んでいるうちに、「この名詞が来たから、形容詞はあれが来るな」とか「この後に〝決め〟のフレーズが来るな」というようなことがわかってくる。「何が」言いたいのかはまだわからないんだけれど、「どういうふうに」言うかはわかってくる。写経の効用かくの如しです。

そうやってまず僕の身体がレヴィナスの身体に同期した。脳が同期したんじゃないんです。だから翻訳というのも、レヴィナスの言っていることを日本語にするというより、レヴィナスに同期している「自分の身体が言いたいこと」を日本語にするという趣のものになります。「喉元まで出かかっている言葉を思い出す」とか「忘れていた人の名前を思い出す」というのに近い。「ほら、あれだよ。あれ。何て言ったっけ……」と地団駄《じだんだ》踏んでいるうちに、何かのはずみにふっと言葉になることってありますよね。それと同じです。そのときに出てきた言葉は間違いなく、僕の身体の中から出てきた。レヴィナスの言いたいことを僕が叡智的に理解して日本語にしたわけじゃない。「なるほど日本語でも〝こういう言い方〟ってできるんだ」ということが実際に口に出してみてわかった。

こういうのはやはり「学習」とか「研究」とかいうより「修業」というほうが近いんじゃないかと思います。

二つの間に「結びつき」があると直感するメカニズム

実際に、僕が大学院生から助手にかけての頃、二十代の終わりから三十代の終わりまでの十年間、僕はだいたい判で捺《お》したように、昼間はレヴィナスの翻訳、夕方六時になると自由が丘道場に合気道の稽古にゆくという生活をしていました。そこに「オン／オフの切り替え」というものはなかった。実感として地続きでした。同じ一人の人間が同じ熱意を持って修業しているわけですから、それが違うものであるはずがない。多田先生が教えていることと、レヴィナス先生が教えていることは、同じ一つのことにちがいない。その確信はありました。でも、人には説明することができない。合気道とレヴィナス哲学は「教えていることは一緒だ」ということは僕には確信があります。どちらも「腑《ふ》に落ちた」からです。修業していると身体が調《ととの》うのがわかる。本を読んでも、人の話を聴いても、「ああ、あれって、これのことか」という気づきが頻発する。

この「あれって、これのことか」と膝を打つことが「創造」であるという数学者ポアンカレの知見をアントニオ・R・ダマシオが引いています。

創造とは洞察であり、選択である。(…)数学的事実は、久しく知られてはきたけれども、相互にまったく無関係だとみなされてきた事実の間に思いもかけない血縁関係があることを教えてくれる。そして、見出された結びつきのうちでもっとも豊穣なものは、しばしば遠くかけ離れた領域から引き出されてきた要素によって構成されているのである。(Antonio Damasio, *Descartes' Error: Emotion, Reason and the Human Brain*, Vintage Digital, 2008)

僕はこれを読んだときに膝を打ちました。なるほど、合気道とレヴィナス哲学というのは、どちらも「久しく知られてきた」ものでありながら、これまで「相互にまったく無関係だとみなされてきた」二つの「遠くかけ離れた領域」です。それなのに僕はこの二つの間には知られていない「結びつき」があると直感した。

たしかに、こういう結びつきについて僕たちは別に網羅的な組み合わせを試しているわけではありません。一生かかっても終わらないから。だから、「もしかして、あれって、これのこと?」というアイディアが浮かぶときには、それに先立ってもう選択は済んでいるのです。
でも、どこで?

まるで役に立たない結びつきが数学者の意識の領域に出現することはない。意識に上るのは多少とも有用な結びつきの特徴を具えたものに限られる。それでも、役に立たないものはそこで弾かれる。だから、創造者はいわば一次選考をパスした候補者だけを面接する二次選考の試験官のようなものなのである。(…)ある種の生物学的メカニズムがまず予備選考を行い、候補者を精査して、そのうちの少数を最終選考に送り出すのである。(Ibid., 強調は内田)

この「生物学的メカニズムがまず予備選考を行い」という表現が僕には実に納得のゆくものでした。ほんとうにそうなんです。頭で考えているんじゃない。「生物学的メカニズム」が働いて、「これとあれを突き合わせてごらん」と教えてくれる。そのアドバイスに従って二つを並べて見ると、そこに「思いもかけない血縁関係」が透けて見える。知性が創造的に働いているときは、そういうことができるんです。

他の場合でも、似たことは起こります。ある論件についてずっと考えていて、たしかにこの道を進めば間違いはないんだけれど、何かもう一つ展望が開けないなあ……と困っているときに、書棚の一冊の本にふと目が行き、手に取ってぱらりとめくると、そこにまさに今僕が読みたかったことが書いてあった……というようなことはよく起こります。

僕の場合は合気道とレヴィナス哲学という「相互にまったく無関係だとみなされてきた」二つの「遠くかけ離れた領域」の間に「思いもかけない血縁関係」があると直感した。でも、それが何なのかを言うことができなかった。「血縁関係がある」ことは確信できるのだけれど、どこがどうつながっているのかを言葉にできなかった。

でも、それで「困った」と思ったことはありません。そのうちわかるだろうと思っていました。なにしろ二つながら修業の途中なんですから、そう簡単に言葉になるはずがない。「なかなかこの血縁関係を説明できない」のは合気道とレヴィナス哲学が、容易に探針が届かないほど深い層において血縁関係にあるからだ、と。そう考えることにしました。この二つのものはもっとも本質的なところでつながっている。だから、簡単には言葉にできない。言葉にしたければ、さらに修業を続けるしかない。

さしあたりこの二つのものに「思いもかけない血縁関係がある」と思っているのは、世界広しといえども僕一人しかいないわけですから（たぶんそうだと思います）、その血縁関係について説明するミッションは僕に託されている。だから、慌てることはない。生きている間に、いくぶんかでも「説明」できるようになって、「面白そうだから、研究してみようかな」と衣《い》鉢《はつ》を継いでくれる人が一人でも見つかれば、僕としてはそれで十分です。

母語のアーカイブに外来語を混ぜる癖

日本の旧制高校生たちは「出自の違う言語を混ぜて新語を作る」ということが好きでした。「バックシャン」というのは「後ろから見ると美人」という意味です。英語のback「背中」とドイツ語のschön「美しい」をくっつけた。「ゲルピン」は「金がない」ですけれど、ドイツ語のGeld「金」と英語のpinch「ピンチ」をくっつけた。この伝統はその後、学生運動に流れ込んで、「ブル転」(フランス語bourgeoisie「市民階級」と「転向」の合成語で、活動を止めて市民生活に戻ること)とか「内ゲバ」(「内部」とドイツ語Gewalt「暴力」の合成語で極左党派同士の抗争のこと)が作られました。でも、残念ながら、この「くっつける」伝統も終わりつつあるようで、僕の知るかぎりでは、「ドタキャン」(「土壇場」とcancelの合成語)がこの種の合成語で日本語語彙に登録された最後のもののようです。「他にもこういうのがあるよ」とご存じの方は教えてください。

ともあれ、母語のアーカイブに外来語を「混ぜる」ことで、新語を作り、新しい概念や感覚を前景化するということが日本人は伝統的に好きだったし、得意だった。僕はそう思います。そして、母語のアーカイブが広く深いほど、この作業は愉快になる。これは一種の「習合癖」と呼んでよいのではないかと思います。

漱石の『三四郎』にPity's akin to loveをどう訳すか広田先生と与次郎と三四郎が論じる場面

があります。同じ意味の言い回しが日本語にもありそうな気がするけれど、なかなか思いつかない。遊び人の与次郎が「これは、どうしても俗謡で行かなくっちゃ駄目ですよ。句の趣が俗謡だもの」と言い出して「可哀想だたほれたって事よ」という訳を提案する。広田先生は「不可ん、下劣の極《きょく》だ」と苦笑いして却下するんですけれど、なぜかこのエピソードは『三四郎』の中で、広田先生の「滅びるね」と共に僕にとっては忘れがたいものです。俗かもしれないけれど、原語のニュアンスは「憐憫《れんびん》は愛に似る」では尽くせない。僕は漱石のこのアーカイブの広大さを好ましく思うのです。

僕は漱石のようなタイプの知性が好きなんです。それに関連して、ちょっと「変な話」を一つしますね。それは安彦良和《やすひこよしかず》さんというマンガ家の方から対談のオファーがあったときのことです。

安彦さんは『機動戦士ガンダム』で洛陽《らくよう》の紙価《しか》を高めた方ですけれど、僕は『ガンダム』世代じゃないので、安彦さんのお仕事についてはとんと不案内でした。いったい、僕と何の話をしたいのだろうと不審に思っていたら、編集者の人から裏事情を教えてもらいました。

安彦さんはその頃『虹色のトロツキー』というマンガを描かれていたのですが、これが一九三〇年代の満州が舞台で、なんと主要登場人物のひとりが合気道開祖植芝盛平《うえしばもりへい》なのです。合気道の技を使って大活躍する。そして、もう一つがユダヤ人問題。同じ頃、ナチスに追われて行き場を失ったヨーロッパのユダヤ人たちを満州国に集めて、そこにユダヤ人たちの自治区を建設するという計画が日本陸軍内部で検討されたことがあります。「河豚《ふぐ》計画」と呼ばれたこの計画は、ユダヤ人の自治区の建設を支援することによって、日本の「親ユダヤ」性をアピールし、ユダヤ系アメリカ人を味方につけて、ユダヤ資本を満州に導入し、さらに（ユダヤ人が支配していると信じられていた）アメリカのジャーナリズムや映画やショービジネスを通じてアメリカ国内に親日的なムードを醸成しようという、なかなかにスケールの大きなものでした。とにかく、でも、この話はおもしろすぎて始めると止まらないので、ここで止めておきます。そして、取材の一環として、安彦さんは植芝盛平とユダヤ人が出てくるマンガを描いていたのです。そして、取材の一環として、「合気道とユダヤ人問題の両方に詳しい人に会いたい」と思った。

これはもう日本広しといえども僕に白羽の矢が立つのは当然です。合気道に詳しい人はたくさんいます。満州のユダヤ人問題に詳しい人もたくさんいます。でも、その両方についてそこそこ詳しいという条件を課すと、条件に合致する人はたぶん日本で僕くらいしかいない。

安彦さんとの対談はなかなかに中身の濃い、おもしろいものでしたが、僕としては何よりも「遠くかけ離れた」二つの領域の専門家であるという条件を課すと、ほとんど無競争で一人に絞られるということが愉快でした。

僕はもともと人と競争するのが大嫌いなのです。ですから、合気道に詳しい武道史家リストとか、満州におけるユダヤ人問題の専門家リストといった「単一種目」で「日本ランキング何位」というふうに格付けされたりすることはできたらご免蒙《こうむ》りたい。それよりは「解剖台の上でのミシンと蝙蝠傘《こうもりがさ》の思いがけない出会い」のような「思いがけない出会い」を面白がるほうがいい。この出会いにおいては、ミシンの性能がどうだとか、蝙蝠傘のデザインがどうだとかいう個別的な属性についての査定は背後に退いて、ただこの本来出会うはずがないものが出会ってしまったことによって、前代未聞のものがそこに生成したことに僕たちは素直に言祝《ことほ》ぐ。それでいいじゃないですか。

日本文化の骨法

文学でもそうです。明治初期までのものには文学としての完成度はともかく、国際共通性がありません。尾崎紅葉は滝沢馬琴や井原西鶴の江戸文学の直接的な延長です。そこにはヨーロッパ文学とどうやって「折り合いをつけるか」という(よけいな)問題意識はまだありません。転換点になったのはロシアに親しんだ二葉亭四迷であり、英文学を講じた夏目漱石であり、ドイツに留学した森鷗外であり、アメリカ、フランスに遊んだ永井荷風です。彼らは江戸文化とはまったく異種の文化に触れてしまった。そして、外来の文学や思想と、彼ら自身を形成している文学的伝統を「架橋」する仕事をミッションとして引き受けることになった。あまりに自然に彼らがそのミッションを担ったので、僕たちは「どうして?」という問いを忘れがちですけれど、別にそんなことをしなくてもよかったわけです。実際にその後漱石は「則天去私」の境地に行ってしまうし、鴎外は『渋江抽斎』、荷風は『下谷叢話』に行ってしまうわけですけれど、青年・壮年期には「架橋」において大きな仕事を成し遂げました。

それをただ「日本の近代化」という国策の文脈で理解することに僕はちょっと抵抗を感じるのです。ただ西洋の学術を採り入れる必要があったというなら「架橋する」必要なんかないからです。そのまま英語やドイツ語やフランス語で本を読み、授業をして、議論をし、本を書けばよい。いちいち日本語と突き合わせる必要なんかない。全部欧米の言語でやればいい。現に、明治初期に学制を整えた森有礼《ありのり》は国語を英語（ベーシック・イングリッシュですが）に替えることを真剣に考慮していました。「近代化」が目的であるなら（今の「グローバル化」と同じで）日本語を使わせないほうが話が早い。でも、第一級の知識人であった漱石、鷗外はそれを退けて「ハイブリッド」を選んだ。

漱石は英文学を中心にヨーロッパの学知を体系的に学んだわけですけれども、そのベースには二松学舎で学んだ漢籍、子規に斧正《ふせい》を請うた俳句、子ども時代の寄席通いで身にしみついた落語や俗謡、長じて稽古した宝生流《ほうしょう》の謡……といった豊かな母語のアーカイブがあった。だから、ヨーロッパの学知を母語で受け止めることができた。それは飛んでくる飛礫《つぶて》を広々とした帷幕《いばく》で受けるようなものです。鋭く、尖った学知を、柔らかく、穏やかで、深い教養で受け止める。

『猫』で僕が面白いと思うのは、迷亭がヨーロッパの学術について、ほんとだか嘘だかわからない笑話をするところです。たとえばこんなところ。

それからまだ面白い話がある。先達て或る文学者の居る席でハリソンの歴史小説セオファーノの話しが出たから僕はあれは歴史小説の中《うち》で白眉《はくび》である。ことに女《じょ》主人公が死ぬところは鬼気人を襲う様だと評したら、僕の向うに坐っている知らんと云った事のない先生が、そうそうあすこは実に名文だといった。それで僕はこの男もやはり僕同様この小説を読んでおらないという事を知った（夏目漱石、『吾輩は猫である』、新潮文庫、一九六一年、一九頁）

武道ではこういう消息を「小拍子・大拍子」と表現します。『兵法家伝書』にはこう書かれています。

あふ拍子《ひょうし》はあしゝ、あはぬ拍子をよしとす。拍子にあへば、敵の太刀つかひよく成《な》る也。拍子がちがへば、敵の太刀つかはれぬ也。敵の太刀のつかひにくき様《よう》に打つべし。つくるもこすも、無拍子《むびょうし》にうつべし。惣別《そうべつ》の悪《あ》る拍子は悪しき也。（柳生宗矩、『兵法家伝書』、岩波文庫、一九八五年、四二 ‐ 三頁）

迷亭や苦沙弥先生を悩ませるアンドレア・デル・サルトやレオナルド・ダ・ヴィンチは鋭く、速く空を切ってくる「小拍子」の太刀のようなものです。漱石はその拍子を外して、ゆったりと、悠然と、「大拍子」に太刀をつかう。『猫』を読んでいると、きりきりと斬り立ててくるヨーロッパの学問芸術という「小拍子」の斬撃《ざんげき》を、漱石が落語や俗謡や漢籍や俳句の飄逸《ひょういつ》や非人情で「大拍子」にさばいているように僕には見えます。そして、なんとなく、これが日本文化の骨法ではないかという気がしてくるのです。

第三章

神仏分離と神仏習合

なぜ政令一本で神仏分離ができると思ったのか

日本では久しく仏教と神道は癒合したかたちで存在していました。神社の中に寺院があり、寺院の中に神社があるという神仏の共生は六世紀に仏教が到来してすぐに始まりました。そもそも神道という土着の信仰がそれなりの体系性を持つことになったのは、仏教が伝来したときに、土着の信仰と儀礼を「仏教とは違うもの」として差別化する必要が出てきたからです。神道は仏教が到来したせいで宗教としてかたちをとった。そういうものです。「何かと違うもの」として記号は立ち上がり、意味は生成するわけですから。

神仏の共生はそれからざっと千三百年続きました。ところが慶応四年（一八六八年）、神仏分離令によって神仏は引き裂かれてしまう。千年以上続いた宗教的伝統が、政令一つで途絶してしまった。前にも書いた通り、これは、日本人の宗教性を考えるうえで、非常に重要な、不思議な出来事だと思います。

神仏分離については、よくわからないことが多すぎます。

一つには、新しい国家の政治的基礎を固めようとしたときに、どうして明治政府の指導者たちはまず「こんなこと」を思いついたのか。その経緯が僕にはよくわからない。いや、もちろん歴史書にはいろいろと説明が書いてあります。でも、僕には今一つ得心がゆかない。彼らは「こんなこと」が実現できると予測したわけですよね。でも、千年以上続いた宗教的伝統の破壊が政令一本でできるとどうして思えたのか。そして、実際にこれほど簡単に実現してしまったのか。それがやっぱりよくわからない。日本仏教って、そんなに薄っぺらで、脆弱なものだったのか。

江戸時代から国学者を中心にして、廃仏論というものが唱えられていたことは歴史的事実として僕も知っています。「漢意《からごころ》」と「大和心《やまとごころ》」の二項対立で文化を論じ、漢意を廃し、大和心を復興することを国学はめざした。それは日本史の授業で本居宣長《もとおりのりなが》のところで習いました。実際に、それは文化的なレベルでの対立にとどまらず、具体的な廃仏運動というかたちをとりました。

国学の拠点だった水戸藩では天保《てんぽう》年間に「廃仏」政策が採択されて、寺院整理が行われました。念仏堂や薬師堂などの小さな祠《ほこら》から路傍の石仏や庚申塚《こうしんづか》までが破壊された。

昨日まで人々がふつうに拝んでいた宗教施設を藩の命令で壊せということになった。どう考えても極端な話です。学者というのはいつの時代でも極論を語りがちなものですから、彼らが「祠を壊せ」というような原理主義的思考をするのはわかる。けれども、学者の極論がただちに物質化するということはふつうは起こりません。でも、廃仏毀釈のときは、それが起きた。

当時、日本中には何十万という寺社があり、数十万人の僧侶がいた。でも、寺院の廃滅、社僧の還俗という新政府の原理主義的で暴力的な宗教政策に対してはっきりとした抵抗運動は組織されませんでした。ほとんどの社僧たちは言われる通りに髪を伸ばして神官になったり、そのまま仕事を辞めて、帰農したりしたのです。唯一の例外は浄土真宗で、ここだけは組織的に抵抗したし、理論的に「廃仏論」と戦った。

ただ、明治政府は実際には「廃仏」を命じてはいません。政府が命じたのはあくまで「神仏分離」です。「分離しろということは廃滅しろということだ」というふうに過激に解釈したのは、現場の国学者や神官たちであって、明治政府の法令そのものには、そんなことは書かれておりません。浄土真宗も神仏分離を拡大解釈した現場の廃仏論と戦ったわけで、明治政府と戦ったわけではありません。

明治政府が神仏分離令を発したのは、「純粋に日本的なもの」を単離して、それを体制擁護イデオロギーに仕上げるためでした。これはその通りだと思います。だから、欧米や中国韓国の影響を排するものであれば、別に廃滅する必要はないではないか、と。浄土真宗はそう論じたのです。われわれは久しくキリスト教と激烈な論争を展開してきて、これを論破してきた。だとすれば、日本の宗教的純粋を保つために仏教を廃滅するというのはまるで筋違いであるという(たいへん筋の通った)ロジックで明治政府の廃仏論に抗ったのです。別に宗教的寛容を説いたわけではありません。

神仏分離を「廃仏」と拡大解釈したのは現場

僕たちは神社と仏閣がすでに分離した世界に暮らしていますので、神仏が習合していた時代の寺社というものをもううまく想像することができなくなっています。でも、わずか百五十年前まで、日本中で神社と寺院は隣り合わせていたのです。今僕たちが見ている寺社の風景が「昔からずっと続いているもの」だと思ってはいけません。これはけっこう最近になって登場してきたものなのです。

神社と寺院を統括する職分は「別当」と呼ばれましたが、これは僧侶が任ぜられました。別当が神社神域を含めて全体を管理していた。「神仏分離令」はこの別当職を廃して、神社を寺院から分離し、神官たちを政府の神祇官の所属とすることを命じたものです。神仏習合では、お寺に祝詞をあげる神官がおり、神社にお経を唱える社僧がいました。社僧たちは還俗帰農するか、神官に職業替えするか二者択一を突きつけられました。

ただ、先ほど書きましたけれど、神仏分離令をどう解釈するかでは、地域ごとにずいぶん温度差がありました。「神仏分離」をただちに「廃仏」と拡大解釈したのは、あくまで現場です。そう解釈した地域もあった。そう解釈しなかった地域もあった。明治政府は「廃仏令と誤解されるような政令」を発しただけです。「うっかり暴走して廃仏運動をしても公権力からは罰されない」という心証を流布しただけです。だから、その政治責任を取る気はありませんでした。「政府は命じていない。誤った解釈をした現場の責任だ」と言い逃れる余地を残していた。昔も今も政府のやることは変わりません。

廃仏運動が熾烈《しれつ》だったのは鹿児島、宮崎、土佐、隠岐《おき》、松本などです。鹿児島では、県内の寺院がすべて廃滅され、ついに僧侶が一人もいなくなりました。水戸藩や津和野藩は国学がさかんで、幕末から廃仏運動のフロントランナーでしたから、廃仏運動がエスカレートした理由はわかります。けれども、その他の地域ではどうして廃仏運動が行われたのか、必ずしも理由が定かではありません。

たとえば、松本藩知事の戸田光則《みつのり》はファナティックな廃仏運動を推進しました。それは松本藩が戊辰《ぼしん》戦争のときに幕府につくか薩長につくか、はっきりとした態度をとらずにいたので、明治政府に忠誠を誇示する必要があったからだとされています。戸田はもともと松平姓で、徳川家の親戚でした。ですから、神仏分離令を「拡大解釈」することで、新政府に恭順の姿勢をアピールすることには必然性があったのです。戸田の廃仏運動は寺院整理にとどまらず、盆行事の廃止、位牌《いはい》や仏壇の撤去まで行って、ついに領内の八割の寺院を廃寺としました。最初に破壊したのが自身の家の菩提寺《ぼだいじ》だったというところが徹底しています。

比叡山の日吉山王社《ひよしさんのうしゃ》は延暦寺に属していましたが、慶応四年に布告が発令された直後に、神官樹下茂国《じゅげしげくに》の率いる一隊がこの神域を襲い、土足で神殿に上がり、神体として安置されていた仏像や仏具教典を破壊し、樹下は仏像の顔めがけて矢を放って呵々《かか》大笑したそうです。

京都でも廃仏毀釈の嵐が吹き荒れました。元長州藩士で府知事になった槇村正直《まきむらまさなお》は徹底的な廃仏毀釈論者でした。石清水八幡《いわしみずはちまん》は広い境内に無数の寺社が混然と建っていました。『徒然草』

には「仁和寺にある法師」が石清水に参詣《さんけい》したけれど、どこが本堂でどこが末寺末社だかわからず、山麓《さんろく》の極楽寺と高良神社だけに参拝して、山上に八幡の本殿があることに気がつかなかったという笑い話が採録されています。それくらいに広かった。でも、ここでも僧侶は還俗、仏像仏具は廃棄、経文《きょうもん》も鐘楼《しょうろう》も売却されてしまいました。北野天満宮も、境内の四〇の寺が撤去されました。京都市内では仏教の習慣はすべて廃止ということで、五山の送り火も地蔵盆も盂蘭《うら》盆も盆踊りも、全部禁止されました。今の人は信じられないかもしれませんけれど、京都から仏教色が一掃された時代がつい百五十年前にあったんです。

奈良の興福寺《こうふくじ》もすさまじい攻撃にさらされました。一山すべてを廃寺して、春日大社《かすがたいしゃ》のものとするという命令が下り、寺内の堂塔の多くがそのときに破壊されました。天平《てんぴょう》時代の仏像まで薪にして燃やされた。いまは国宝になっている阿修羅《あしゅら》像は地下に隠されてかろうじて難を逃れましたが、そのときに腕が壊れました。いま僕たちが見ているのはのちに修復されたもので、原形と違っているそうです。五重塔もひどい目に遭いました。光明《こうみょう》皇后の発願で建立された五重塔は二束三文《にそくさんもん》で民間に払い下げられました。買い取った商人はなんと五重塔の木部を燃やして、焼け跡に残った金属を回収しようとしたのです。これはさすがに近隣の人たちの反対で中止されました。でも、その理由は「延焼すると困るから」でした。興福寺近隣の人たちは、あの五重塔を千年以上仰ぎ見てきたわけですから、それが金具を採るために燃やされると聞いたら「そのような不信心なことをしたら罰《ばち》が当たる」というふうに考えるのがふつうじゃないですか。まさか「うちに燃え移ったらいやだから」というのは理由としてあまりではないかと思います。

霊界のドラマ

廃仏毀釈運動について調べていてもっとも首を傾げたのはそのことでした。組織的抵抗らしきものをしたのは浄土真宗だけだということは前に書きました。ただし、そのときの真宗サイドの護教論のロジックも、「キリスト教と戦うなら、仏教徒こそがその先陣に立つにふさわしい」というものでした。

廃仏毀釈については民衆の抵抗らしきものがほとんど見られませんでした。報告されているのは、ほんとうにわずかな事例だけです。調子に乗って村の祠《ほこら》を壊したり、仏像を捨てたりした人が「腰が抜けた」とか「水難に遭った」というような噂話が広がったことくらいしか記録が残っていない。身近な信仰対象だった祠が廃滅されることについては、自分たちの身に「罰が当たるんじゃないか」という恐怖心はあったようですけれど、そういう不敬なふるまいが明治政府に天罰を当てるのではないかという発想はまったくなかった。

ということは、たぶん民衆レベルで廃仏毀釈は、自分たちの現実とは直接かかわらない、霊的次元での戦いだと思われていたからではないかと僕は想像します。つまり、明治政府はこの宗教政策を、世俗権力による宗教運動の弾圧・統制ではなく、天皇という一神教的な霊的権威による、多神教的な偶像崇拝の霊的浄化というドラマに仕立てて遂行したということです。『出エジプト記』で主がモーセの前に立って「あなたには、わたしのほかに、ほかの神々があってはならない」と告げたときに、モーセは別に主に対して「どうして、他はダメなんですか？」というような反問はしませんでしたし、主も自分以外の神を崇拝してはならない所以について挙証なんかしませんでした。するはずがない。ただ頭からがつんと「私の他に神はない」と断定しただけです。こういうのは、人間にもわかるような理由づけをしないからこそ有効なわけです。人間がおのれの基準に基づいて「この神さまは崇拝してもいいが、こっちはダメ」というような差別化ができるということになったら、神はその超越性を失ってしまう。当然ですよね。人間にはどの神さまが偉いのかがわからない。神さまに「私だけが崇拝すべき唯一神だ」と言ってもらわなければわからないという人間の霊的な劣位が神の霊的な優位を基礎づける。

だから、廃仏毀釈に対して「どうして、こんなことをするのか？　政府は合理的根拠を示しなさい」というタイプの理性的抵抗がほとんど見られなかったのは考えてみたら当然なんです。それは、人間の賢《さか》しらをもって論ずべき事案ではないから。なにしろ「神々の戦い」なんですから。人々は、神仏分離を明治政府が合理的な政策判断に基づいて行った宗教政策だとは思わなかった。そうではなくて、天皇神がその他の土俗神たちに対しておのれの霊的優位の確認を求めた「霊界のドラマ」であると、民衆はそう受け取った。たぶんそうだと思います。神仏の境位で起きている話なんだから、われわれ世俗の身には関係ない、と。そう思ったから抵抗しなかった。

抵抗できなかった。僕はなんだかそんな気がします。

現に、廃仏毀釈運動は実際にはきわめて短い期間の運動でした。明治四、五年までで、そのあと廃藩置県になって、行政区画が変革されて、旧藩の仕組みがなくなると同時にほぼ立ち消えになった。水戸藩、津和野藩に見られるように、幕末の廃仏運動は藩ごとにずいぶん過激さの度合いが違いました。明治になってからも、戸田光則や槇村正直の場合のように、個人の利害やイデオロギーが色濃く反映していた。だから、行政単位が組み替えられて、行政官が替わると、政策のありようも一変した。

そうなると、また仏教が盛り返す。またお寺に住職が戻ってきて、仏像や仏具を廃棄した人たちがまた知らぬ顔で寺院の檀家になって戻ってくる。このあたりの変わり身の早さにも驚かされます。

果たして、この面従腹背(めんじゅうふくはい)的な態度を「生活者の知恵」と見立てるべきなのか、それとも許し難い無原則と見るべきなのか、どっちでしょう? たぶん、「神さま仏さまの世界の問題」なんだから自分たちには関係ないと思っていたので、「おや、いつの間にか『神さま仏さまの世界』で話がついたらしい」と思ったんでしょう。そうでもなければ、民衆のこの変わり身の早さは説明がつきません。

国家神道が確立され、神社が減った

神仏分離によって、明治政府は現実世界に霊的秩序を持ち込みました。一般の民衆にとって「霊的秩序」なんかには何のリアリティもありません。天皇陛下のほうが村の正一位《しょういちい》お稲荷さんよりも上位神であると言われたら、そうか、そうなのか……と納得する他ない。反論するほどの知識もないし、「信仰の自由」というような概念は当時の民衆は知りませんから、「そうか、そうなのか」以外にリアクションのしようがない。だから、霊的秩序を現実世界に持ち込んだせいで現に廃寺とか失職とかいうリアルな事件が起きているのですけれども、その出来事の当否について人間の側は判断することができないという不思議な事態が出来《しゅったい》した。ただ、指を咥《くわ》えて見ていることしかできない。京都府知事だった槇村は、五山の送り火も地蔵盆も盆踊りも全部禁止したんですよ。町衆が「ふざけるな」と言って強く抗議したっていいじゃないですか。でも、そういう「民衆の側からの伝統的な信仰を護る動き」は僕が見たかぎり報告されていない。

神仏分離に次いで明治四十年代に「神社統合」という宗教的大事件がありました。これも神仏分離と同じくらいにミステリアスな出来事です。いや、出来事としてはすごくリアルでシンプルなんです。でも、それを動機づけた心理も、それを受け入れた心理もよくわからない。

国家神道が確立されてゆく過程で、神社が増えるならわかるけれど、神社が減ったんです。理屈に合わないと思いませんか？　でも、その「理屈に合わないこと」に民衆は従った。唯々《いい》諾々《だくだく》と従った。組織的抵抗と呼べるようなものがなかった。どうして、そんなことが可能になるのか？

たぶん「時代の空気」が抵抗できないようなものだったんでしょう。日本の場合、こういうことは空気で決まるんです。そして、それからしばらく時間が経つと、そのときにどんな空気が支配的な空気だったのかもう誰も覚えていない。どうして起こるはずのないことが起こり、起きてもいいはずのことが起きなかったのか、それがわからなくなる。だから、僕はその「空気」を追体験してみたいのです。

霊的浄化の二段階

神仏分離・廃仏毀釈とは、天皇という一神教的霊的権威による多神教的な偶像崇拝の霊的浄化というドラマとして遂行された。前にそう書きました。そして、僕の考えでは、この「霊的浄化」は二つの段階を経由して果たされた。たぶん、そうだと思います。

第一段階が「分離」、第二段階が「格付け」です。

第一段階で神と仏、土着の信仰と外来の信仰が分離された。そして土着の神々が単離された。これが神仏分離です。これは理屈としてわかります。そのあとに、しばらくしてから第二段階が行われた。土着の神々を格付けして、格付け低位の神々を厄介払いするというプロセスです。これが神社統合である、と。そういうふうに経時的に並べると意味が少しわかる。まず水と油を分離する。次に油を精製して、揮発性の高い石油と、純度の低いねばねばした瀝青《れきせい》に分離する。そういうイメージでいいかと思います。神社統合は「瀝青」をゴミとして捨てる工程だった、と。

歴史的経緯を見てゆきます。明治政府は神仏を分離し、神社を政府の神祇官が統括するという仕組みにしました。そのときにすべての神社はその社格によって階層化されました。頂点に、神話上の神々や皇霊を祀《まつ》る神社（天社《あまつやしろ》）、その次に諸国の大きな神社（国社《くにつやしろ》）、国家の功臣たちを祀る神社、そのさらに下に村ごとの氏神と祖霊崇拝のための神社（産土社《うぶすな》）、そういうヒエラルヒーにすべての神社が整序された。

神祇官の理想としては、神社と名のつくものはすべて公費で管理したい。神社の造営や営繕《えいぜん》にかかるコストから神官たちの人件費コストまでを全部公費で支弁したい。当然そう考えます。でも、そんなことできるはずがない。そこまでの財政的余力はできたばかりの明治政府にはありませんから。だから、どこかで「ここまでは公費を投じるが、ここからはダメ」という線引きを行わないといけない。小さな村の氏神さまなんかは地元の住民に管理を丸投げして、

「あとはそちらでご自由に」とすればいいと僕は思いますけれど、そうはならなかった。コストを負担できない神社は廃社するということになった。それが明治四十年頃の話です。まことに皮肉な話ですが、神社を一〇〇パーセント官営のものとするためには神社の数が多すぎたのです。だから、神道を興隆させるために神社を潰すということになった。

その時期全国に神社は約二〇万ありました。このときの神社統合で三分の一、約七万社が廃社されました。どんな集落にも氏神の社がありましたし、それ以外にもたくさんの社があった。それを行政単位ごとに一村一社として、あとは潰すことになったのです。そして、これも意外なことですが、神社合祀《ごうし》がもっともさかんに行われたのは伊勢と熊野でした。伊勢と熊野といえば日本の神道の中心地です。そこで一番多くの神社が潰された。和歌山県下では神社数は六分の一に、三重では七分の一に減じました。いったい、どうしてそんなことが起きたのか?

神社統合のときも、神仏分離と同じで、どこからも組織的な抵抗はありませんでした。格式高い神社の財政基盤をたしかなものにするために、田舎に散在しているぼろ神社を潰すという話ですから、上のほうの、エリート神社の側には異論のあるはずがない。潰されることになった神社にしてみると、久しく土着の信仰対象であったのが取り潰されるわけで、「理不尽な……」という思いはあったでしょう。でも、もとをただせば生臭い「お金の話」だったのだけれど、形式上は「神さまの格付け」問題ですから、ことの是非について人間的常識を適用するわけにはゆかない。

南方熊楠の怒り

その中にあって、神社合祀に抗《あらが》って、村の神社を守れという論陣を張った人がいました。これは明治政府による霊的浄化のキャンペーンに抵抗したほとんど唯一の例外ではないかと思います。南方熊楠《みなかたくまぐす》です。ただ、熊楠も霊的なことを主題として論じているわけではありません。もっぱら霊的浄化の世俗的側面を痛撃したのです。このときは廃社にかこつけて、神域を私有し、鎮守《ちんじゅ》の森の神木を伐採して金に換えるというあくどい商人が跳梁跋扈《ちょうりょうばっこ》したからです。これに怒った熊楠は火を吐くような言葉を書き連ねております。少し長いですけれど、熊楠の怒りを感じるために引用します。

日置川《ひきがわ》筋の神社合祀は実に甚だしく（…）三十社四十社を一社にあつめことごとくその神林を伐りたるところ多く、また今も盛んに伐り尽くしおり、人民小児の名づけ等に神社へ詣るに往復五里、甚だしきは十里も歩まねばならず、染物屋（祭りの幟《のぼり》）、果物屋、菓子小売等、細民神社において生を営みしもの、みな業を失い、加うるにもと官公吏《かんこうり》たりし人、他県より大商巨富を誘い来たり、訴訟して打ち勝ち、到るところ山林を濫伐《らんばつ》し、規則を顧みず、径三、四寸の木をすら伐《き》り残さず、（…）木乱伐しおわりその人々去るあとは戦争後のごとく、村に木もなく、神森もなく、何んにもなく、ただただ荒れ果つるのみにこれあり、(…)霊山の滝水を蓄うるための山林は、永く伐尽され、滝は涸《か》れ、山は崩れ、ついに禿山となり、地のものが地に住めぬこととなるに候。(『南方熊楠随筆集』、ちくま学芸文庫、一九九四年、四一四頁、四二七-八頁)

それ以外にもずいぶんひどいことがあったようです。一村一社への合祀のために、「古人が意を込めて経営した」由緒ある神社が廃され、代わりに金持ちが自分の庭に建てた「ペンキぬりの白鳥居や、ブリキ蓋《おお》いの屋根」の安普請《やすぶしん》が一村を代表する神社に選ばれる。役所から遠い神社は管理が面倒だからと廃され、近場の神社が残された。熊楠はそう書いています。

しかるに合祀励行のため、村役場員らなるべく無性《ぶしょう》をかまえ、また利益を私にせんと心がけ、なるべく村役場近き社は、たとい由緒なき狐や天狗を祭れる小祠なりともこれを村社と指定し、由緒あり、神林多き社も、村役場に遠きをば挙げて合祀させ、これを濫伐せる余弊筆舌《よへいひつぜつ》に尽きざるに候。(同書、四三三頁)

熊楠、ものすごく怒っていますね。でも、熊楠の怒りが具体的な事実に即していればいるほど、神社合祀の「宗教的意味」はわからなくなる。明治政府の宗教政策は戦略的には霊的浄化だったわけですけれど、それが現実世界の出来事に変換されると、いきなり生臭い話になってしまう。そこにはもう宗教性がない。霊的浄化は雲の上で決められたことですから、民衆の宗教生活・宗教文化とは関係がありません。また、神林濫伐は単なるビジネスの話ですから、これもまた民衆の宗教生活・宗教文化とは関係がない。つまり、神社合祀という民衆の宗教生活の根幹に触れる議論に、どのレベルでも民衆が関与していない。明治政府の宗教政策の際立った特徴はここにあるような気がします。つまり、政府の宗教政策の当否について、その宗教の当の実践者である一般民衆がほとんど参加することがなかった。政府が強権をもって「参加させなかった」というのではなく、民衆自身が自発的に「参加しなかった」。無抵抗に、なすがままになっていた。どうして、そんなことが起きるのか。それが僕は気になる。だって、明治時代の日本人は別にことさらに事大主義的であったわけでもないし、お上の言うことにひたすら叩頭《こうとう》しているほど弱腰ではなかったからです。明治初年の士族の反乱から自由民権運動を経由して無産主義運動に至るまで、明治時代は全期間を通じて、つねに反政府的で、ファナティックな人たちがいて、政府を相手に激烈な闘争を展開してきました。

それなのに、自分たちの宗教文化については、日本人は政府になされるがままだった。ほとんど組織的な抵抗をしていないし、政府の宗教政策を内在的に批判するロジックも錬成していない。日本の宗教文化についての、自分自身の宗教生活についてのこの無関心はどこから来るのでしょう？

本地垂迹説を受け入れる霊的感受性

日本人は「無宗教」だからだという説明を僕は受け入れません。日本人は間違いなく独特の仕方で宗教的だからです。でも、それがどういうかたちをとるのかが定まらない。

いまも日本人の多くは、クリスマスを祝った数日後にはお寺で除夜の鐘を撞《つ》き、神社に初詣に行きます。それを「あなたは多神教なんですか?」と真顔で訊かれたら、日本人はびっくりするでしょう。

日本人のクリスチャンは人口の一パーセントですが、日本人の六〇パーセント近くがキリスト教式で結婚式を挙げます。「仏教徒」であると自己申告する人は人口の四八・一パーセントですが、お葬式の九一・五パーセントは仏式で営まれます。

これでは誰が見ても、「日本人においては、信仰と宗教儀礼の間に関連性がない」と言わざるを得ない。

しかし、だからといって、無宗教的であるわけではありません。だって、こまめに神社仏閣に参拝するし、季節ごとの宗教儀礼だって怠らないんですから。だから「宗教的だけれど、その表出の仕方はランダムである」ということになる。

つまり、超越的なものが「どこか」にあるということは受け入れる。でも、それがどういうかたちで表象されるかについては、あまり関心がない。「どういうかたちでも、別にいいです」

と涼しい顔をしている。

日本人が「本地垂迹説《ほんじすいじやくせつ》」という理説を抵抗なく受け入れたのは、その鈍感さも与《あずか》っているのではないかと思います。「本地」とは、超越者の本来のあり方、「垂迹」とは神仏がこの世界に顕現するときのあり方のことです。

習合そのものはどの宗教にもあります。キリスト教でもヨーロッパに広がる過程で、土着の信仰を取り込みました。ミトラ教の冬至祭がクリスマスになり、死者の霊が甦るハロウィーンが万聖節になった。仏教もそうです。仏教における「天部の仏神」たちは、もとはインドの古来のヒンドゥーの神々です。帝釈天《たいしやくてん》、吉祥天、弁才天、大黒天、韋駄天《いだてん》、夜叉《やしや》、十二神将、金剛力士などはヒンドゥーの土着神が仏教の護法神に変じたものです。

当然、日本でも同じことが起きました。仏教の宣布の過程で、最初はまず日本列島古来の神々は仏教的なヒエラルヒーに統合されました。日本の神さまたちも「天部の仏神」とされた。でも、本地垂迹説を採用することによって、日本の土着の神々は如来や菩薩の「権化」であるということになった。インド仏教ではヒンドゥーの土着神たちはもともとの名前と姿を保持したまま仏教的な位階制に包摂されたのですが、日本はそうではなかった。かたちも名前も変わったのです。表象のされ方は違うが、本源においては同一者であるという話があらたに採用された。それが本地垂迹説です。「つまり仏の世界における日本の神々のランクが、天部なみから如来・菩薩なみへと上昇したことになります。これが本地垂迹説における神祇観の特質の第一です」（真木隆行、「中世における神仏習合の世界観」、『神仏分離を問い直す』、法藏館、二〇二〇年、六五頁）。

能の詞章《ししょう》では、「神といひ　仏といひ　ただこれ水波の隔てにて」という定型句がよく出てきます。水と波のように、現れ方は異なるが、本体は同一である。

キリスト教で結婚式を挙げる際に祈るときの「神さま」と、神社で柏手《かしわで》を打つときの「神さま」と、お寺のご本尊に坐《ま》します「仏さま」の間に本質的な違いはなく、本源的には同一の超越性が、そのつどその場にふさわしいかたちに「権化」して登場する、と。多くの日本人はそういうふうに考えている。神仏の違いは強いて言えば、神さまは「怒らせれば祟《たた》りが生じる」こと、「また、祖先神・氏神・産土神《うぶすながみ》などを日頃から崇敬していた人々から見ますと、いざという時には自分たちを依怙贔屓《えこひいき》してくれるという期待もあったでしょう。多めにお供えをすれば、効果が増すという俗っぽい期待もあったでしょう」（同書、六六頁）。つまり、神さまは身近で具体的で、仏さまは遠くて抽象的だ、と。

これは僕が読んだかぎりでは、もっともわかりやすい習合した神仏の「違い」についての説明でした。如来や菩薩は日本の民衆にとってはいささか超越的すぎ、観念的過ぎた。だから、それがより身近な神さまと同体であるということになると、仏教はよりアクセスしやすいものになる。事実、比叡山の僧兵たちはしばしば「強訴《ごうそ》」ということを行ったわけですけれども、そのときに彼らが担いだのは仏像ではなくて、日吉大社の神輿《みこし》でした。僧兵たちが威を借りるときに、仏ではなく神を選択したのは、おそらく神のほうが大きな現実変成力を持つ（仏さまは俗なことにはあまりかかわらない）という社会的合意があったからでしょう。

前にローマに行ったときに、地下にミトラ教の教会がある教会を訪れたことがあります。ミトラ教というのは古代ローマで隆盛を見た太陽神信仰です。その教会の遺構の上にキリスト教の教会を建てた。「聖地」の発する独特のパワーは、宗教にかかわらず、感度のいい人は感知します。だから、パワースポットには複数の宗教施設が重畳《ちょうじょう》するということが起きる。エルサレムにはユダヤ教の聖地「嘆きの壁」、キリスト教の「聖墳墓教会」、イスラム教の「岩のドーム」が隣接して建ち並んでいます。「上書き」するか「併存」するか、世界の宗教はだいたいこのどちらかを選択するわけですけれど、日本人はそのどちらも採用しなかった。「混ぜた」んです。

日本人の霊的感受性の内部では、いろいろな「神さま仏さま」が相互に排除し合わずに共存している。だから、僕たちはお互いの自己紹介のときに、「宗旨はどちらですか？」とか「ほう、プロテスタントですか。では、監督派ですか、長老派ですか、組合派ですか？」というようなことを細かく詮索しません。どういう外形的な教義を信じているかということとは違う位相に、日本人の宗教性はあるのではないかと僕は思います。たぶん、もう少し深いところに、日本人固有の宗教性がある。

土着信仰の一掃

明治政府の神仏分離が一種の霊的浄化であり、それが二つの段階を経由したということを先ほど書きました。第一段階で「土着神」と「外来神」が分離され、第二段階で「土着神」の格付けが行われた。その格付けが神社合祀として行われたわけですけれども、実際には神社合祀に先立ってもう一つ「土着神の浄化」とでもいうべきものが行われた。仏教を分離した後には当然「日本列島土着の宗教」が残ったはずなのですが、そこには神祇官の上意下達的な公的統制に服さないものがあった。明治政府はそういったプライベートな土着信仰を一掃しようとしました。格付けが成り立つためには、まず規格化・同質化する必要がある。それはいつの時代も変わりません。多様性を否定しないと格付けはできない。だから、すべての民俗信仰が次は「分離」の対象となった。

民俗信仰への抑圧が始まるのは、明治五年頃からです。京都では五山の送り火や盂蘭盆や地蔵盆や盆踊りまでが禁止されたという事例を前に挙げましたが、同じことは日本中で行われました。正月の門松、立春の追儺《ついな》などの行事に続いて禁止されたのが遊行の宗教者たちでした。六十六部廻国聖《ろくじゅうろくぶかいこくひじり》、普化宗《ふけしゅう》の虚無僧《こむそう》、修験道《しゅげんどう》の行者《ぎょうじゃ》、山伏《やまぶし》、梓巫女《あずさみこ》、狐《きつね》おろし、玉占《たまうら》、口寄せ……そういう「旅するシャーマン」系の宗教者たちの活動が禁止されました。それはまた浄瑠璃・三味線などの習い事の禁止、集団をなして群飲浪費すること、博奕《ばくち》、劇場の建設の禁止、乞食の取り締まりなどと並行して行われました。その政治的意図は明らかです。安丸良夫はこの消息をこう説明しています。

> こうした民俗信仰や民俗行事・習俗こそが、民衆の注意を家業からそらし、地域を疲弊させ、秩序を紊乱《びんらん》させる最大の原因と見なされたのである。（安丸良夫、『神々の明治維新』、岩波新書、一九七九年、一七五頁、強調は安丸）

廃仏毀釈と並行して、明治政府は前近代のこのような無縁者たちによって担われた宗教文化を根絶しようとしました。そして、事実それらはほとんど根絶されました。

これはある種の啓蒙的・教化的善意によって駆動された「宗教の近代化」だったのかもしれません。しかし、この「近代化」とは、日本の伝統的な宗教文化のうちで、もっとも濃密に「土着的」なものを排除することでした。それに代わって、もっと揮発性が高く、イデオロギー性が高く、身体性の希薄な宗教が、あたかも千古の伝統を引き継ぐかのように「土着」を名乗ることになった。「近代化」という美名の下に行われたのは、「土着的なもの」の排除だったわけですけれど、それは単に「土着的なもの」「非合理的なもの」が汚らわしく、忌まわしいものだったからではありません。そうではなくて、それらの民俗文化がそれまで占めてきた霊的な地位を奪い取らなければ、日本の民衆を霊的に動員することはできないという、明治政府の政治家たちの冷徹な計算があったからだと僕は思います。

「土着的なもの」に接合しなければ、国民的な規模での政治的エネルギーを喚起することはできない。そのことを古来から政治のテクノクラートたちは熟知していました。だから、日本古来の、もっとも深く日本人の深層に根づいた、もっとも純良な「土着」なものとは何かを名指すことができたものが日本の政治過程ではヘゲモニーを握ることができた。

消された宗教の娯楽的要素

明治政府が企てた宗教の近代化の過程で、もう一つ深く傷つけられたものがありました。こんな話をする人は他にいないと思いますけれど、それは宗教の「娯楽的側面」です。

宗教というのは第一義的には「超越的なものと出会う経験」ですけれども、ふつうの人間は超越的なものの切迫をまっすぐに受け止め切れるほどの精神力・体力がありません。ですから、それを中和し、希釈しようとする。世俗化することによって、超越的なものの切迫がもたらす緊張感や不安を受け入れ可能なレベルにまで切り下げる。そうすることによって、人間が棲息《せいそく》できる程度には汚れているが、人間が敬虔《けいけん》な気分になる程度には浄化された、どっちつかずの空間を創り出そうとする。だから、「聖地はスラム化する」(@大瀧詠一《おおたきえいいち》)という格言が成立するのです。

巡礼や参詣はいまでも「観光」と不可分ですし、宗教儀礼も最後は必ず宴会で終わります。

厳しい行を成就した後は、高揚感・全能感に領されていて、現実にうまくランディングできなくなる。だから、クールダウンする必要がある。車座になって、お酒を飲んで、歌って、笑うのは、深海から浮上したダイバーを「減圧室」で地上の気圧に順応させるようなもので、これも宗教的活動の一部なのです。でも、この宗教の娯楽的要素も、明治以後かなり意図的に抑圧されてきたような気がします。宗教活動の娯楽的要素を代表していた「師旦《しだん》制度」の消滅がその際立った徴候です。

ご存じの通り、「お伊勢参り」というのは江戸時代において、わが国最大規模の聖地巡礼であり、同時に最大規模の観光旅行でもありました。お伊勢参りは、江戸時代には年間三〇〇万人が参加したそうです。歴史上最多を記録したのは天保元年（一八三〇年）で、この年にお伊勢参りした人数は四二七万人（どうやって算出したんでしょうね）。同年の日本の総人口は三二二八万人ですから、この年、日本人の八人に一人が伊勢参りをした計算になります。

このお伊勢参りを取り仕切ったのが「御師《おんし》」と言われる人たちです。

御師という名称の宗教者は伊勢以外でも、日本中の主だった霊地・聖地には必ずいました。御師というのは、聖地に巡礼に来た人たち（これを「旦那」と呼びます）を宿坊に受け入れ、寺社参拝や修行の先達となる人のことですが、この参拝者たちは同じ地域から「講」を形成して、連れだってやってきます。御師はその講と深い関係を結び、シーズンオフになると、その地域をめぐり、札を売ったり、加持祈禱《かじきとう》を行います。この結びつきを「師旦関係」と呼びます。御師と旦那の関係は単なる「宿坊のオーナー兼現地コーディネイターと旅行客」の関係ではありません。もっと長期にわたる、濃密なものでした。

御師達は、下向し廻村配札する地域を旦家地域としてそれぞれに保有し、その地域とは強い師旦関係で結ばれていた。他の御師が別の師旦関係を結ぶ地域へ介入することは、許されないことであった。（久田松和則、『伊勢御師と旦那』、弘文堂、二〇〇四年、一二頁）

たとえば、肥前大村藩は宮後三頭大夫という御師が藩全体の伊勢詣でを仕切っていました。三頭大夫は単なる廻村配札だけでなく、伊勢参りの旅費を為替で清算する金融業を営み、また遷宮のときに出る「聖なる古材」を九州まで輸送し、地元の神社新築の部材に充て、その地鎮祭を主宰することまでしておりました。宗教家というより、ほとんど実業家です。三頭大夫は最終的に大村藩の家臣に取り立てられます。御師をただの聖地ツアー・コンダクターだと思ってはいけません。藩吏に登用されるくらいに、御師たちは旦那の地元でする仕事があったのです。

伊勢御師は江戸末期には一五〇〇人いたそうです。年間三〇〇万人伊勢詣でに来るんですから、それくらいいないと対応できなかったんでしょう。彼らの宿坊は宇治橋を渡った、現在神苑となっているところに軒を接して並んでいました。

伊勢御師について僕が読んだ中でもっとも印象的なエピソードは、勝小吉が十四歳で家出したときの話です。そのまま引用します。

十四の年、おれがおもふには、男は何をしても一生くわれるから、上方当りへかけおちをして、一生いよふとおもつて、五月の廿八日に、もゝ引をはいて内を出たが、世間の中は一向しらず、かねも七・八両斗りぬすみ出して、腹に巻付て、先づ品川まで道をきゝくして来たが、なんだかこゝろぼそかつた。（勝小吉、『夢酔独言』、平凡社、一九六九年、二二―三頁）

ところが道中一緒になった悪い二人連れに浜松あたりで、寝ている間に着物も大小も財布も全部取られてしまう。宿の亭主が「先づ伊勢へ行つて、身の上を祈りてくるがよかろふ」と言うので、襦袢《じゅばん》一枚に柄杓《ひしゃく》一つ（どうして柄杓なのかわかりませんが）で乞食をしながら伊勢にゆく。伊勢に着いたら、同じ乞食で心安くなった人がいて、「龍太夫という御師のところへ行って『江戸品川宿青物屋大坂屋の内よりぬけ参りに来た』と言いなさい」とアドバイスしてくれる。小吉は龍太夫のところに行って、言われた通りの口上を述べます。

はかまをきたやつが出て張面を持つて来てくり返しく見おつて、「奥へ通れ」といふから、こわぐ通つたら、六畳斗りの座敷へおれをいれて、少し達て其男が来て、「湯へはいれ」といふから、久しぶりで風呂へはゐつた。あがると、「麁末《そまつ》だが御ぜんをくへ」とて、いろ〳〵うまいものを出したが、これも久敷くはないから腹いつぱゐやらかした。少し過て、龍太夫がかり衣にて来おつて、「能こそ御参詣なされた」とて、「明日は御ふだを上げませう」といふ故、おれはたゞ、「はゐ〳〵」といつてじぎばかりしていた。（同書、二四－五頁）

翌日、小吉は図に乗って「路銀を二両ばかり貸してほしい」と言うと、そこまでは貸せないがと一貫文くれる。小吉はそれをもらって逃げ出して、またヒッピーみたいな旅行を続けるという話です。このエピソードでおもしろいのは、伊勢御師たちが旦那にかかわりのある人たちだと「帳面」で確認できれば、それが姿かたちは乞食の子どもであっても受け入れて、手厚く接待したという点です。これはもちろん博愛主義によるのではなく、伊勢参りの往路で追い剥ぎに遭って一文なしになって伊勢にたどりつくというケースが実際に頻発したからです。実際、伊勢参りでは復路旅費は御師宛てに為替で事前に送金しました。それは「旅行費用の全額を持参することへの危険性、例えば紛失・盗難から避ける為に往路の旅費は持参しなければならないものの、帰路の路銀を安全に確保するために伊勢へ出発前に国元から送金するものであった」からでした（久田松、前掲書、四一頁）。

それにしても、きちんと口上さえ述べれば一宿一飯は確保されるというのは（「渡世人」たちの世界がそうですが）、前近代のある種の「社会保障」制度だったということがわかります。

漢語である「観光」が「新語」として採択された歪み

僕は毎年羽黒に行って星野文紘《ふみひろ》さんという山伏の方のお家である「大聖坊《だいしょうぼう》」という宿坊のご厄介になっていますが、羽黒修験も伊勢御師とモデルは同じです。羽黒詣も講社が各地にあります。星野先達の講社は福島県の海側に点在しています。つながりのある地域の講社から羽黒に参詣に来る人たちを山伏は宿坊に迎え入れ、先達として出羽《でわ》三山を案内します。そして、冬になって雪で山に入れなくなると、今度は山伏が山を下りて、講社を巡歴して、加持祈禱をし、お札を売る。

羽黒修験にいまもかろうじてそういう仕組みが残ったのは、星野さんの住む手向《とうげ》という集落が明治政府の命じた神仏分離にはげしく抵抗して、神仏習合を守り抜いた場所だからです。

伊勢御師も熊野御師も富士御師も明治初年に消滅しましたけれど、羽黒修験は生き残って、かつての「師旦関係」というのがどういうかたちのものかをかろうじて二十一世紀に伝えています。

星野さんの宿坊に泊めていただくと、朝は「お勤め」があります。出羽三山を言祝《ことほ》ぐ祝詞《のりと》と般若心経《はんにゃしんぎょう》を唱えます。ご神体は鏡ですが、その後ろにはご本尊の不動明王像が鎮座しています。神仏習合というのが概念ではなく、具体的な宗教行為であり、生活であるということを僕たちは羽黒修験が生き残ったおかげで知ることができます。

参加者数から言えば、間違いなく前近代最大の宗教的イベントであった伊勢詣でがある種の観光旅行だったように、聖地巡礼と観光は不可分のものでした。でも、不思議なのは「観光」というのが近代になって日本語の語彙に入った「外来語」だということです。

「観光」という文字そのものは漢語です。中国古典にある「観国之光（国の光を観る）」すなわち、「他国の風景や文物の美を観る」という一文に由来するそうです。でも、こんな文字列を僕たちは日本の古典では目にしたことがありません。それだけ日本語としての歴史は浅いということです。事実、「観光」の語は大正時代にtourismの訳語として採択されたものです。

でも、それはちょっとおかしいと思いませんか。日常生活から一時的に離れて、珍しい風景や風俗習慣を見て回るという活動そのものは平安時代からずっとあったわけです。お寺に法話を聴きに行くときに、boy meets girl的な「娯楽」を期待する人もいたことは『徒然草』にも出てきます。

二月《きさらぎ》十五日、月の明るい夜、すっかり夜が更けてから、千本釈迦堂《せんぼんしゃかどう》に詣でた。席の後ろから入ってひとりで顔を隠して説法を聴いていると、姿も佇《たたず》まいも際立って優美な女が入ってきて、私の膝にもたれかかった。匂いが移るほどに身を寄せてくるので、当惑して身を離したところ、さらに寄り添ってくる。（「徒然草」、内田樹訳、『日本文学全集7』、河出書房新社、二〇一六年、四八八頁）

あとになって、さる貴人がお供の女房を送り込んで、挑発させたら、兼好がどう応じるか見ようとしたという質《たち》の悪い悪戯《いたずら》だったとわかるのですが、「そういうこと」を釈迦堂で説法を聴きながらしているわけですね、鎌倉時代の殿上人たちは。

聖地聖域を訪れて、そこで超越的なものに触れつつ、生の楽しみを享受するということを日本人は往古からずっとやっていた。なのに、明治以降になって「観光」という新語が作られた。どうして自分たちが江戸時代までずっとやっていたことに名前がついていなくて、大正時代に新語が発明されたのか。

明治時代に西周《にしあまね》や加藤弘之《ひろゆき》や福沢諭吉が、欧米語の訳語を片っ端から漢字二字で造語したのはそれにふさわしい語がやまとことばになかったからです。philosophy も physics も individual も、それにふさわしい日本語がなかった。だから、「哲学」「物理」「個人」の語が作られた。でも、「観光」は違います。tourism にふさわしい行為は千年前から行われていたんですから。しかし、それは「なかったこと」にされた。明治時代以降に、それまで日本人が知らなかった tourism という新しい概念が欧米から輸入されたという話になった。聖地を訪れ、美しい光景を味わい、ついでに美食や遊興に耽《ふけ》るということをまるで日本人はこれまで一度もしたことがなかったかのように歴史が作られた。僕は「観光」という言葉一つのうちに、明治政府の宗教統制の意図せざる余波を感じるのです。

聖地を訪れ、そこで先達に導かれてある種の霊的経験をして、それから美味しいものを食べたり、温泉に入ったり……というのは明らかに日本人にとってはきわめて親しみ深い、そして長い伝統のある「宗教活動」でした。でも、この宗教活動を担っていた御師や修験者たちは伝統的な神仏習合の実践者たちでした。だから、彼らの社会的価値を否定するときに、彼らが担ってきた伝統的な「観光事業」もなかったことにされた。伊勢御師は幕末には一五〇〇人を数えたのが、ゼロになりました。御師が消えて、宿坊がなくなったせいで、伊勢詣での人数は以後激減することになったのでした。皮肉なことですけれど、天照大神を祀る伊勢神宮を日本最高の聖地に定めたことによって、参拝者が減ったのでした。

それから半世紀ほど経って、大正年間になってから欧米人のするという tourism を模倣して、日本人も観光ということを始めた（という話になった）。でも、残念ながら、観光には宗教的含意はまったくありません。同時期にアルピニズムもハイキングもスキーもヨーロッパから日本に輸入されました。これらのスポーツにはもちろん宗教性はありません。観光はそれらに立ち混じって近代日本人の生活に舶来品の顔をして戻ってきた。

今でも僕たちは旅行に出かけると、その土地の神社仏閣にお参りします。そこにバスガイドさんやツアーコンダクターはいますが、もう御師や先達はいません。だから、聖地において超越的なものとの出会いをどう経験したらいいのか、誰もその仕方を教えてくれない。

百五十年を経て蘇る「動く宗教性」

江戸時代までの日本人の宗教活動のかなりの部分は「動く宗教者」によって担われていました。伝統的に、日本では宗教者と芸能人は旅をするものでした。巫覡《ふげき》も、白拍子も、遊女も、楽人も、山伏も行者もみな「旅する人」たちでした。明治政府の宗教統制でこの「旅する人たち」が徹底的に排除された。それは別に彼らがとりわけ反政府的であったとか、反権力的であったからではありません。一所に定住せず、旅するものたちだったからです。国民を移動させないこと。それが近代国家における民衆管理の要諦でした。民衆の中に入り込んだ、生々しく、土の匂いのする宗教者たちは「移動すること」「ふらふらすること」を活動の基本パターンとしていた。だから、この宗教者たちを根絶する必要があった。そして、実際にこの「移動する宗教者」たちの息の根を止めることによって、日本は近代国家になり、国家の統制の及ばない「無縁」という界域がこの世からなくなったのでした。

毎年羽黒に行くと、星野先達の宿坊で、山伏たちが集まって祝宴になります。特筆すべきことは、最近修験道に入られた方たちに女性が多いということです。宿坊にぎっしり座っている方たちを見ていると、明治政府の弾圧によって近代社会の中に居場所を失った巫女たちが百五十年の休眠を経て、二十一世紀に蘇《よみがえ》ってきたのではないかという気がします。実際にこの女性たちと話していると、梓巫女とか白拍子とかなら「やって」と頼んだら、すぐにできそうな素質を感じました。

僕はそれを、明治政府が企てた「宗教の近代化」「土着的なものの浄化」がほころびて、神仏分離令から百五十年経って、それ以前の宗教性が蘇ってきていることの現れではないかという気がするのです。

出羽三山はもともと神仏習合です。本地仏《ほんじぶつ》は羽黒山が聖観音菩薩《しょうかんのんぼさつ》、月山《がっさん》が阿弥陀如来《あみだにょらい》、湯殿山《ゆどのさん》が大日如来《だいにち》。それが神仏分離で、仏像は捨てられ、仏具や教典は焼かれました。そのときに棄てられた仏像を酒田の篤志家の人が拾い集めて、自宅の蔵に隠していたそうです。その方の子孫が、先年これらはもともと羽黒山にあった仏像ですから、羽黒山に戻したいと言ってきた。その申し出を出羽《いでは》神社の宮司さんが喜ばれて、本殿の横に「千佛堂」という建物を作って、そこに仏像を納めて、展示することにしました。ですから、いまは出羽神社にお参りすると、仏さまも併せて拝むことができます。神仏習合に戻ってきているのです。これは日本の宗教の本質を考えると、当然の流れではないかという気がします。

改憲問題や靖国神社問題などで、非常に政治的な動きをしている神社本庁は明治政府の神祇官以来の「国家による宗教統制」をめざす組織です。神社本庁は組織的には戦前の神祇院を継承しているので名前だけは官庁みたいですけれども、法律上は民間の一宗教法人です。でも、日本国内約八万の神社の九八パーセントが神社本庁に加盟しています。

そういう中央集権的で、かつ政治的目的が明確な宗教団体にとって、各地の神社で、自然発生的・同時多発的に「神仏習合リバイバル」が起きているということになると、これは由々しい問題です。こんな流れは神社本庁としては絶対に許すことができない。でも、あまり管理を強めると、今度は財政基盤のしっかりした有力な神社が神社本庁を離脱して、単立の宗教法人となってしまうというリスクがある。日光東照宮・伏見稲荷大社・出雲大神宮・富岡八幡宮・新熊野神社などは単立の宗教法人です。別に神社本庁に属さなくてもやっていけるだけの足腰があるなら、そのほうが自由度が高い。

このところ、神社本庁傘下の神社の脱盟のニュースがいくつか続きました。富岡八幡宮も宇佐神宮も、脱盟のきっかけは宮司後継問題で神社本庁と合意できなかったことです。神社本庁が神道政治連盟・日本会議と深い関係にあり、加盟している神社が改憲署名の拠点となっていることに批判的な神社が神社本庁から脱盟した事例もあります。讃岐の金毘羅《こんぴら》さんは神社本庁の不祥事を嫌って脱盟しました。これらは人事問題や政治的偏向や組織腐敗への反発が表向きの原因ですが、僕は深いところでは明治政府による宗教の近代化に対する百五十年遅れの抵抗ではないかという気がするのです。

羽黒のように、神域内に、かつてそこにあった寺院が戻ってくるということがいずれあちこちで同時多発的に起きるような気がします。神仏習合のほうが日本の宗教の伝統的なかたちなわけですから、こちらのほうが日本人の生活実感・身体実感になじみがいいんです。何よりも「異物を含むもの」のほうが生命力も生産力も高い。だから、これからまだ長い時間がかかるでしょうけれども、日本人はいずれ神仏習合に回帰する。僕はそう予測しています。

その過程で、神仏習合派と神仏分離派、移動民と定住民のエートスの違いがしだいに表面化してくる。もちろん、どちらかが最終的勝利を収めるというようなことを僕は望んでいるわけではありません。それよりは、こういうふうに二つの原理が並立して、葛藤しているほうが日本人の霊的成熟には資するところが多いと思う。日本社会そのものが活気づくのではないかとも思います。とりあえず、これからしばらくは、百五十年ぶりに蘇ってきた神仏習合の動きに注目してみたいと思っています。

第四章
農業と習合

周防《すおう》大島で農業を営んでいる中村明珍《みようちん》君と養蜂家の内田健太郎君が凱風館を訪れて「周防大島に来てください」と頼んできたのは、もう五年以上前のことになります。若者たちの活動を支援するのは年長者の使命ですから、「いいですよ」と即答しました。そして、周防大島を訪れたのが二〇一五年四月末。その日の町の公民館での講演会では、主に農業のことについて話しました。それを採録します。

「食言」が死語となった時代

地方回帰の動きが際立ってきました。都市での定型的な賃労働と定型的な消費活動を離れて、山河の中で、地面を踏みしめて生活することを選択した若者たちが僕の周りにもたくさんいます。みんな二〇一一年の三・一一の後に、そういう生き方を選んだ若者たちです。この動きはもう不可逆的に進行し続けると僕は思っています。こちら周防大島でも、そういう芽があるなら強く育ってほしいと念じておりましたので、このお話をお受けしました。

今の日本と、僕が育った頃の日本を比較して、もっとも違ったのは、ものごとの価値や、あるいは言動の適否を考量するときの時間の長さだと思います。ある生き方を選択をした場合、それが適切だったかどうかを「いつ」の時点で判断できるか。その適否判断までのタイムラグは歴史的環境によってずいぶん変化します。でも、これほど時間意識が伸縮するものだとは知りませんでした。

今はものごとの理非や適否を判定するまでのタイムラグが非常に短くなっています。せいぜい一年あるいは四半期、場合によってはもっと短い。そこで決着がついてしまう。ある政策決定を下した場合に、それが適切だったか否かが、数週間くらいでわかるはずがありません。結果が出るまでに数カ月、数年、場合によっては数十年かかることだってある。でも、みんなそんな先のことについてはもう考えるのを止めてしまった。五年先というような未来において、どう評価されるかなんていうことは誰も気にしない。五年前に選択した政策が、適切だったのかどうかも、誰も吟味しない。

いまの日本社会は「誰も責任をとらない」仕組みになりつつありますけれど、これは人間の質が変わったということではなくて、過去においてなされた選択の適否について論じる習慣そのものを失ったからではないかと思います。「済んだこと」を蒸し返してもしょうがない。それより「これから」のことを考えようという言い方があらゆる場面で口にされる。一週間前に「プランAしかない」と言った人が、ひと月後に「プランAなんてありえない」と言い放っても、誰も食言《しょくげん》を咎めない。いまはそういう時代です。そもそも、「食言」という単語そのものがもう死語になった。

「言葉を守る」を英語ではkeep one's wordと言います。「キープ」というのは「ある程度の時間」持続することです。あくまで「ある程度の時間」であって、数値的に明示してあるわけではありません。それでも「だいたいこれくらい」という暗黙の了解があった。ひと月やふた月後に覆されるようでは「言葉を守った」とは言われなかった。でも、いまは「言葉を守る」ということ自体に人々は特段の価値を置かなくなった。だから「あなた、ひと月前にこう言ったじゃないか」といきり立っても、「そんな昔のことは忘れたよ」と鼻先で笑われておしまいです。

たしかに、それが現実なんです。ひと月前なんて「大昔」なんです。いま株の取り引きは人間ではなくて、機械がやっています。アルゴリズムが一〇〇〇分の一秒単位で金融商品の売り買いをしています。「ひと月前の株価」なんて情報としてまったく無価値です。ゼロです。企業だって、明日はどうなるか誰にもわからない。Appleだって Googleだって Amazonだって Facebookだって、果たして十年後に存在するかどうかわかりません。株式会社の平均寿命は五年なんですから。それ以上先のことを考えてもしかたがない。そんな平均寿命の短い組織体が「百年後の会社のかたち」や「百年後の従業員の幸福」なんか考えるはずがない。考えても無意味だから。今期の売り上げが落ちて、株価が下がったら、それで会社は「はい、おしまい」です。十年後どころか来年もない。だから、今期の利害損得に一〇〇パーセント集中するしかない。それが「当期利益最優先」という株式会社的な時間意識です。そして、現代人はもうほとんどがこの株式会社的発想に骨の髄まで冒されてしまっている。

政治とマーケットは社会的共通資本の管理をしてはいけない

でも、そういう短いタイムスパンで判断をしてはいけない領域があります。

それなしには人間が集団的に生きてゆけない資源のことを経済学の用語では「社会的共通資本」といいます。これには三種類のものがあります。自然環境、社会的インフラ、そして制度資本です。

自然環境というのは山河のことです。大気、海洋、河川、湖沼、森林……そういうものです。その豊かな恵みの上に僕たちの社会制度は存立している。社会的インフラというのは、上下水道、交通網、通信網、電気ガス水道のようなライフラインのことです。制度資本というのは、行政、司法、医療、教育などの制度のことです。

社会的共通資本は集団が存続するために絶対に必要なものです。だから、安定的に、継続的に、専門家によって、専門的な知見と技術に基づいて管理維持されなければならない。とにかく急激に変えてはならない。だから、社会的共通資本の管理運営に政治とマーケットは関与してはならない。

それは別に政治家や市場が下す判断がつねに間違っているからではありません（そんなはずがない）。そうではなくて、政治過程も経済活動も複雑すぎて、次に何が起きるか予測不能だからです。そういう予測不能なシステムのことを「複雑系」と呼びます。わずかな入力差が劇的な出力差をもたらすからです。「ブラジルの一羽の蝶の羽ばたきがテキサスに竜巻を起こすことはありうるか?」というのは予測可能性についての有名なフレーズですが、複雑系ではそういうことが起こる。だからこそ人々は政治や経済に熱中するわけです。

でも、空気がなくなるとか、海が干上がるとか、森が消滅するとか、ライフラインが止まるとか、学校がなくなるとか、病院がなくなるということがあってはならない。当然ですね。それでは人間が生きてゆけないから。だから、社会的共通資本を複雑系とはリンクさせてはならないということになります。

政治は「よりよき世界」をめざした活動です。経済は「より豊かな世界」をめざした活動です。たぶん主観的にはそうだと思います。初発の動機は、いずれも向上心や善意や冒険心です。悪くない。ぜんぜん悪くない。でも、歴史が教えるように、めざした目標がどれほど立派でも、複雑系においては、予測もしない結果が出てくる。必ず予測もしなかった結果が出てきてしまう。よりよき世界をめざした政治活動が戦争やテロや民族浄化をもたらしたことも、より豊かな世界をめざした経済活動が恐慌や階層分化や環境破壊をもたらしたことも、ともに歴史上枚挙に暇《いとま》がありません。

それでもいい、何か劇的な変化がほしい。それがないと退屈で死んでしまう……というのがたぶん人間の「業《ごう》」なのでしょう。僕にだって、その気持ちはわかります。だから「止めろ」

政治活動も経済活動も駆動させるのは「私念」

私人は変化を求めるが、公共的なものは安定を求める。そういう命題に言い換えてもよいかもしれません。政治活動も経済活動も、それを駆動しているのは「私念」です。「私の考える政治的に正しい社会」や「私の考える豊かな社会」を実現しようとして、人は政治や経済にかかわる。でも、その人の頭の中に描かれた「正しさ」や「豊かさ」はあくまで私念に過ぎません。だって、人を激しく衝き動かすものは他の人と違うアイディアに決まっているからです。他の人も自分と同じことを考えているだろうと思ったら、「お願いだからオレの話を聞いてくれ」と懇願したりはしません。道行く人に向かって大音量で「オレね、結局、世の中って、色と欲だと思うんですよ！」と叫んでみても、誰も足を止めてくれない。何の新味もないから。「こんなことを考えているのはオレだけじゃないか」と思うから人は熱くなるし、「はじめて聞く話だな」と思うから人は足を止める。そういうものです。私念だけが「ブラジルの蝶の一撃」的なインパクトを持つ。それだけが複雑系に予測不能の変化をもたらす。

複雑系を駆動するのは私念です。でも、社会的共通資本を動かすのは私念であってはなりません。社会的共通資本を動かすのはたった一つだけで、それは「公共的なものへの配慮」です。そこにはオリジナルな要素がまったくありません。当然ですよね。「空気はあったほうがいい」とか「水道の水はきれいなほうがいい」とか「法体系は合理的なほうがいい」とかいうことに対して異を唱える人はふつういないからです。

社会的共通資本は専門家が専門的知見に基づいて管理配慮すべきであるというのは「そういうこと」です。そこに私念をまじえてはいけない。「海とかなくてもいいよ、オレ海嫌いだから」とか「学校いらねえよ、オレ勉強嫌いだから」というような私的な見解は、それが主観的にはどれほど切実なものであっても、社会的共通資本の管理運営には決して持ち込んではならない。

だから、そこでは「政治的正しさ」も「経済合理性」も配慮してはならないのです。だって、何が「ほんとうに政治的に正しい」のか、何が「ほんとうに経済的に合理的」なのかについてわれわれの間には意見の一致がないからです。

社会的共通資本というのは「それがなくなると、集団としての人間が生き延びられないリスクがある資源」のことです。だから、それはとりあえずわきにのけておく。人間たちが日々熱心に売ったり買ったり、作ったり壊したり、手に入れたり失ったりする領域からは隔離しておく。

農家は二つの世界の境界線に立つ「歩哨」

今日、内田君たちが開いた生産者直売市「島のむらマルシェ」の会場で、農家の方から質問を受けました。

「自分は日々楽しく農作業をしている。仕事は楽しいのだが、マーケットとどうつなげるか、どうやって経済活動として成立させるか、それが悩みの種だ」ということでした。質のよい農産物を作ったからといって、それがすぐに市場で高い評価を得て、現金収入につながるという仕組みになっていない。「ある程度の現金収入がないと、若い人たちに対して『農業をやりなさい』とは言いにくい」と率直に言われました。

おっしゃるとおりです。農業と市場をダイレクトにつなぐことは無理です。でも、それは技術的な話じゃなくて、原理的に無理なんです。根本の発想が違うんですから。農業は本来市場とは相性が悪いんです。それを踏まえた上で、相性の悪いものをどうやって共存させるか、「異物との共生」を工夫しなければいけない。

日本には一方に豊かな海や山や森があり、一方に近代的な都市があります。その中間に、この周防大島のような里山エリアがある。里山の機能は、文明と自然の間にあって、二つを架橋することです。二つをつなげる橋であり、かつ二つを隔てる緩衝帯でもある。自然が文明を侵略してくるときは自然を押し戻し、文明が自然を侵略するときは文明を押し戻す。両方がバランスよく共存できるように、自然と文明の間を取り持つこと、それが里山の、広く言えば第一次産業の類的な機能だと思います。

自然がもたらす豊穣な生産力によって地上の生物は生きています。この自然環境を守り、生態系を安定的に保つためには自然と文明のこの境界線を守る人がいなければならない。僕は「歩哨（センチネル）」という言葉を使いますけれど、二つの世界の境界線に立って、そこを守る人のことです。日本の里山で暮らす人たちもすぐれた歩哨だと思います。

農村人口は二〇～二五パーセントが適正

自然保護はかなり意図的に行わないと、人間はすぐに自然を破壊し尽くす。これは痛ましい人類史的事実です。

日本は意外にも、世界的にも例外的な森の豊かな国です。森林率は六八パーセント。これはスウェーデンの六九パーセントに次いで先進国では世界二位の高率です。でも、ずっとそうだったわけではありません。戦国時代に日本の森は絶滅の危機に瀕していた。築城や土木工事のために、大量の木材を伐採したせいです。戦国時代末期には日本の山林は禿山《はげやま》だらけだったそうです。日本列島に豊かな森林が復活するのは江戸時代からです。徳川幕府はきわめて強権的な森林保護政策を採りました。木を切ったら死刑というようなきびしい法律によって森を守った。産業革命によって、ヨーロッパの森が乱伐されて破壊されてゆく中にあって、日本が流れに逆らって高い森林率を保ちえたのは徳川幕府の保護政策のせいなのでした。

現在の主要国の森林率は、イギリスが一二パーセント、中国が二三パーセント、フランスが三〇パーセント、ドイツが三二パーセント、アメリカが三三パーセント、カナダが三四パーセント、ロシアが四九パーセントというような数字です。日本の六八パーセントがいかに突出した数字かわかると思います。そのように例外的に自然が守られてきた国だからこそ、里山という自然と文明の緩衝地帯、二つの境域を架橋する仕組みが成り立っているのです。

徳川時代の日本は、ご存じの通り、鎖国していてグローバル経済と完全に断絶された状態が三百年近く続きました。人口は二六〇〇万人から二七〇〇万人の間で、二百七十年間ほとんど変化がなかった。エネルギーは木炭、ゴミは自然に帰してバクテリアが分解して土壌に戻す、余剰を出さない定常経済を実現した世界史上稀な例です。

日本の里山という仕組みはおそらくその時期に整備されていったものと思われます。だから、その基本原理は「定常」です。安定的に保持する。自然から過剰に収奪しない、自然を過剰に破壊しない。自然の再生産能力、繁殖力を傷つけない範囲で、自然の「果実」を受け取る。自分たちの世代が現に享受している自然からの贈与物を、次の世代も同じように享受し続けることができるように自然を管理する。それが日本における第一次産業の基本的な発想だったと思います。農業の仕組みも、本質的には今でもそのときと変わっていないと思います。

でも、農業が本質的に定常経済をめざすものである以上、これを経済成長、右肩上がりスキームである資本主義市場経済に組み込むことは原理的にはできない。組み込むと必ずどこかで「軋《きし》み」が生じる。

明治以降、日本の近代化の過程で、市場経済と農業をリンクさせていこうという工夫がいろいろなされてきました。けれども、「こうやって日本は定常経済と成長経済の不可能と思われた共生に成功した」という理論やモデルは存在しません。農業はつねに市場が要求してくる「制度改革」に追い立てられ続けてきた。もっと収量を増やせ、もっと農薬を使え、もっと機械化しろ、もっと生産性を上げろ、もっと大規模化しろ……という圧力が日本の農業には明治維新以来一貫してかけられてきました。農業を「自然と文明の中間」という立ち位置から無理やり文明サイド、市場サイドに引き込もうとしてきた。近代の農政というのは、一貫してそういう流れでした。

にもかかわらずまだ農業は存続しています。それは農業が社会的共通資本だからです。そして、社会的共通資本は定常を志向するからです。株式会社と違って、「右肩上がりでなければ息絶える（grow or die）」というようなものではないのです。
社会的共通資本としての農業について経済学者の宇沢弘文先生はこう書いています。

農の営みは、人間が生きてゆくために不可欠な食料を生産し、衣と住について、その基礎的な原材料を供給し、さらに、森林、河川、湖沼、土壌のなかに生存しつづける多様な生物種を守りつづけてきた。農の営みは、自然環境をはじめとする多様な社会的共通資本を持続的に維持しながら、人類が生存するためにもっとも大切な食料を生産し、農村という社会的な場を中心として、自然と人間との調和的な関わり方を可能にし、文化の基礎をつくり出してきた。（宇沢弘文、『宇沢弘文の経済学』、日本経済新聞出版社、二〇一五年、一五四頁）

農業はそれなしでは人間が生きてゆくことのできない活動だ、と。こう断言してもらえると、心強いですね。でも、宇沢先生はもっとすごいことを言っているんです。日本の農業人口は全人口の二〇パーセントから二五パーセントが適正数だ、と。

さしあたって日本の場合、20%から25%程度が、望ましい農村人口の比率といってよいのではないだろうか。このことは、人口の20%ないし25%の人々が、社会的、心理的な強制によるのではなく、農村に定住して、農の営みに従事することが、自らの生き方としてもっとも望ましいものとして自ら選択するということを意味する。（同書、一五四頁）

今の日本の農業就業者数は一七〇万人。人口の一・三パーセントです。僕が生まれた一九五〇年は農業就業者が人口の約五〇パーセントでしたから、ずいぶん減りました。その流れの中で農村人口を二〇パーセントから二五パーセントにするというのです。ただ、宇沢先生が言っている二〇パーセントから二五パーセントという数字はあくまで「農村人口」であって、「農業を専業とする人」の数ではありません。子どもたちや年金生活者も、農村でカフェや本屋をしている人も、農村に住み着いた画家や作家も「農村人口」に含まれます。

今の農政が進めているのは、農業の近代化・工業化・企業化です。工場で工業製品を作るように、機械を使って、生産工程を精密に管理して、規格通りの農作物を、ベルトコンベアに載せて出荷するようなありようを理想としています。ですから、そこで働く人たちは農業従事者というよりも、機械のオペレーターのようなものになる。どこかの住宅地から農地に「出勤」してきて、終業したら帰る。これはもう「農村人口」とは言いません。

農業は社会的共通資本です。だから、政治や経済の動きとは無関係に、できるだけ安定的・定常的であろうとする。そういう強い惰性が働いている。僕はそう思います。農は本質的に同一状態を「反復」するものであって、「成長」するものではありません。持続するために存在するものを、経済成長に最適化させることはできません。してもいいけれど、そうしたら、それはもう生きてはゆけない。

農作物は商品ではない

農業は里山と農村という生産環境を定常的に維持するためのものです。あくまで最終目的は自然の生産力、繁殖力の定常的な維持であって、右肩上がりに収益を増やすことではない。でも、今日本で進められているのは、この農業の企業化です。

企業化された農業のモデルはアメリカです。アメリカは植民地でしたから、そこに暮らす人たちが自然と折り合いをつけながら、自然から恵みを取り出すという定常的な農業ではありません。はじめから経済成長モデルをめざした農業です。広大な耕地に、商品作物を植え、機械や低賃金労働者を大量に使って栽培する。コストを最少化し、収益を最大化する。それがアメリカの農業です。最初から経済合理性に従って制度設計されている。

アメリカ農業はヨーロッパのための商品作物の単一栽培と奴隷制を与件とするものでした。アメリカでは南北戦争までは、アフリカから売られてきた奴隷たちの労働力によって生産コストの最少化を実現してきました。そして、奴隷解放のあと、今度は一九〇一年にテキサスのスピンドルトップで油田が発見され、一日一〇万バレルの石油が噴出し、奇跡的に安いエネルギー源が手に入った。

北米の広大な「無主の土地」に植民地を築いた人たちは、未開の土地は無限にあり、自然はいくら破壊しても無限に再生するように思っていました。そういう自然観に基づいてアメリカの農業はかたちづくられた。アメリカ農業のそういう特殊な歴史的条件を無視して、それをモデルに日本の農業を作り変えてゆくというのにはもともと無理があります。

すでにアメリカではスプリンクラーによる地下水の散布によって土壌の表土が流れ、塩分が出てきて、耕作が困難になる農地が出てきています。でも、そういうことをアメリカ人はあまり気にしていないようです。石油が枯渇したら、次のエネルギーを創り出せばいいというのと同じで、北米の土壌が耕作不能になったら、どこか耕作可能なところから農作物は金で買えばいい。たぶんそう思っている。それは彼らが農産物を商品だと思っているからです。でも、日本の農家の人たちは必ずしもそうは思い切れないでいる。農作物は商品ではないんじゃないかとなんとなく感じている。お米とパソコンを目の前に置かれて、「ほら、どちらも同じ商品でしょう?」と言われると、なんとなく違うような気がする。これは「なんとなく違うような気がする」というのが正しいのです。

たしかに農作物は潤沢に市場に供給されているときは、あたかも商品であるかのように仮象します。洋服や乾電池と同じようなものに見える。けれども、供給量が減少して、供給量があるラインを下回った時点で農作物は商品性を失います。それは「商品」ではなく、「糧」になる。それなしでは人間が生きていけないものになる。金では買えないものになる。

もし日本が商品作物の単一栽培になって、たとえばコーヒーや綿花のような商品作物だけを栽培して、それを外国に売って稼いだ金で外国から食べるための農作物を買っていたとします。グローバル経済が順調に回っているうちはそれでいい。でも、何が起こるかわからない。戦争やテロやパンデミックや恐慌のせいで、シーレーンが途絶して、食糧の備給が絶えるということはありえます。コーヒーや綿花のような商品作物の場合、消費者の嗜好の変化によって、ある日いきなり市場価値が暴落するということだってある。売り物が売れなくなり、食糧が買えなくなる。その時点で餓死リスクがいきなり切迫してくる。

農業というのはそういうものだということをみんなふだんは忘れています。でも、絶対に忘れるべきではないことです。一定量の安定的な供給があるかぎり、農作物はあたかも商品であるかのように仮象します。でも、供給量があるラインを割ると、それは他の商品とは本質的にまったく別物となります。パソコンや自動車は海外からの供給が途絶えても、「不便だ」で済みますけれど、食糧はそうはゆかない。ある時点から奪い合いが始まる。

ですから、農業は「それでどうやって金を儲けるか？」という枠組みで論じられるべきではないんです。人々が飢えないように、どんなことがあっても安定的に供給されるような仕組みの中に置かれるべきなんです。その意味で、農業は社会的共通資本なんだと僕は思います。私的な営利事業ではなく、公共的な営みとしてとらえられるべきだ、と。

食文化とは共同体を飢えさせないこと

一九九〇年前半に、北米ではアメリカ、カナダ、メキシコの間でNAFTA（自由貿易協定）が締結されました。それによって三国間で農作物が自由に行き来するようになった。そのとき、メキシコの国産トウモロコシより「合理的な農業」をしているアメリカ産トウモロコシのほうがずっと安価でした。当然ながら、メキシコの消費者たちは自国産を食べるのをやめて、アメリカ産のトウモロコシを食べるようになりました。結果的に、メキシコのトウモロコシ農家は壊滅的な打撃を受けました。でも、メキシコの消費者はそんなことを気にしなかった。アメリカ産のほうが安いんですから。自国のトウモロコシ農家が倒産したのは、経営努力が足りなかったからで、そういう怠惰な農家が淘汰されて市場から退場するのは合理的なことなんだ、と。そういう話をメキシコの人たちは受け入れた。ところが、そのあと、アメリカでトウモロコシをバイオマス燃料の原料とするテクノロジーが開発されると、トウモロコシの市場価格が一気に高騰した。すると、今度はメキシコ人たちは主食であるトウモロコシを買えなくなってしまった。でも、もう国内には国民全体に主食を供給できるほどのトウモロコシ農家はなくなっていた。主食の供給をマーケットに委ねたせいで、メキシコは伝統的食文化の崩壊の危機に直面したのです。このエピソードは食文化は市場に委ねてはいけないという教訓を僕たちに教えてくれていると思います。

今日の「島のむらマルシェ」もまた、食文化について考える場なのだと思いますが、食文化の本質は一つしかありません。それは共同体のメンバーを飢えさせないこと、それに尽くされます。

飢餓をいかに回避するかが食文化の基本です。僕たちは農業について語るときにはビジネスの用語を使い、食文化について語るときは文学的な修辞を駆使する。農業と食文化について語る文章の中に「飢餓」というようなエッジの立った単語はふつう出てきません。でも、農業と食文化について語るときは、それが飢餓をいかに回避するかという人類史的な努力の成果だったという事実を忘れてはいけないと思います。人類の食文化は飢餓ベースです。餓死者を出さないこと、そのために人類は食文化を発展させてきたのです。

食文化は二つの工夫に集約されます。

一つは不可食物の可食化です。そのままでは食えないものをなんとか食えるようにする。そのために人類は驚異的な努力を積み重ねてきました。叩いてみる、焼いてみる、蒸してみる、燻蒸《くんじょう》してみる、挽《ひ》いてみる、水に晒《さら》してみる、日に干してみる……あらゆる動植物について、思いつくかぎりの調理法を試すことによって、「こんなもの絶対に食べられない」というものをなんとか可食化してきた。これが食文化の輝かしい成果です。

もうひとつは食習慣の差別化です。隣接する集団と自分たちの集団の主食を「ずらした」のです。同じものを食べない。隣がバナナを主食にするなら、自分たちはイモを食べる。向こうが小麦なら、こちらは米を食べる。集団がそれぞれ主食のタイプをずらしてゆくことで、単一の農作物への需要の集中を回避させた。こうしておくと、たとえば、ある植物が病虫害や異常気象のせいで壊滅的な被害に遭っても、それを主食としていない集団にとっては直接的な影響はない。主食が採れなくなった集団でも、「背に腹は代えられない」となればイモでもバナナでも豆でも食べる。

すべての集団が同じ植物を主食としていたら、その種が不作となったら、全集団が同時的に飢餓の危機に瀕します。当然、主食の奪い合いが始まる。それを防ぐためには食習慣をずらすのがもっとも確実です。

調味料というのもそうです。あれは欲望の集中を防ぐための工夫です。どの集団も調味料には発酵物質を使います。要するに「腐ったもの」です。それを自分たちの主食の上にぶちまける。その調味料を使わない集団から見れば「腐敗したものを食べている」ようにしか見えない。手を出す気になれない。でも、これはすばらしい工夫なわけです。自分たちの食糧を安定的に確保しようと思ったら、周りの集団から「あいつらはゴミを食っている」と思われるのが一番安全だからです。他の集団から羨望されないものを食べているかぎり、奪われる気づかいはない。

主食を「ずらす」のも、調味料に「腐ったもの」を使うのも、いずれも人類が飢餓を回避するために思いついた生活の知恵です。食文化は飢餓ベースだというのはそういう意味です。

人々が欲望するものをできるだけ分散して、欲望の対象が一つに集中しないようにする。食文化というのはそういうシリアスなものです。食糧をどうやって安定的に供給するか、供給が止まったときにはどうやって食資源の奪い合いという破局的事態を回避するか、食文化というのはそのために作られた文明的な仕組みなんです。

当然、農業もそのような食文化の歴史の中に置いて考察しなければなりません。人類七万年の「飢餓を回避する努力」の成果として農業があるからです。どんなことがあっても安定的・継続的に食糧を供給できること。それが農業のアルファであり、オメガです。だから、単一栽培を嫌って、多様な作物を耕作するのは当然なのです。ある農作物が病虫害で全滅しても、それと似たような栄養素を持っている作物が被害を受けずに育っていれば、飢餓は回避できる。農業における多様性の確保というのは集団存続のための基本です。人類の知恵が詰まっている。

ですから、食文化のリテラシーが高い人というのは「何でも食える」人のことです。世界のすべての食文化に等しくオープンマインドに接することのできる人です。他の人が「こんなもの食えるか！」と言って棄ててしまうものを「おお、美味しい」と言ってぱくぱく食べられる人が飢餓にもっとも強い。親たちが子どもに「好き嫌いをしないで、何でも出されたものは食べなさい」とうるさくしつけたのは、別に道徳的なことを言っていたわけではありません。そのような食文化リテラシーの高い個体のほうが飢餓を生き延びるチャンスがあるから、そう教えていたのです。子どもたちが飢餓的状況を生き延びられるように、「何でも食べられる能力」を育成していたのです。

生身の身体だけが食い合わせの悪いものを共生させる

ですから、農業は、どうやっても市場のロジックとは合いません。市場は「たくさん金が欲しい」という原理だけで動いています。「どれだけあれば足りるか」ということは問題になりません。世界の超富裕層の中には一〇〇〇億ドルというような天文学的な個人資産を持っている人たちがいます。毎日一億円使っても使い切るまでに三百年かかる。それでも、彼らはもっと金が欲しくて新しいビジネスモデルを開発したり、M&Aを繰り返したりしている。「足りる」ということがないのです。

農業は違います。食べる人間がいて、その胃袋に詰め込める量の算術的総和が「必要な農作物」の上限です。それ以上作ってもしょうがない。生身の人間の消化器がベースだからです。でも、金が欲しいという人には上限がない。「需要に上限のある生産活動」を「需要に上限がないシステム」によって制御することはできません。

だから、はっきり言い切りますけれど、農業を市場原理に従わせることはできません。農業は貨幣よりも市場よりも株式会社よりも古い。株式会社というシステムが普及しだしたのは十八世紀の話です。まだ二百五十年くらいの歴史しか持っていないシステムが、少なくとも二万三千年前から存在する生産活動に対して「そんなやり方じゃダメだ」と文句を言うとしたら、それは文句を言うほうが筋違いなのです。

それでも、現代社会には市場経済という仕組みが存在しており、グローバル資本主義の世界で僕たちは生きているわけですから、ある程度そういうものと折り合いをつけなければならない。でも、それはあくまで「折り合う」ことであって、市場経済やグローバル資本主義のルールに「従う」ということじゃない。

農業と市場は原理が違います。無限に貨幣が欲しいという人たちの欲望で動いている市場と、太陽の恵み、大地の恵み、水の恵みを受けて耕作し、育った果実を生身の人間が飢えないために享受するという農業は存立する原理が違います。だから、市場は農業の原理が理解できないし、農業は市場の原理についてゆけない。そんなの当たり前なんです。できるのは「もともと食い合わせの悪いもの同士の折り合いをつける」ことだけなんです。でも、それはあくまで暫定的な「折り合い」であって、本質的には市場と農業は「嚙み合わない」ということを忘れるべきではないと思います。

今の日本の農業政策が破綻しているのは、市場と農業という両立しがたいものを「両立できるはずだ」という前提に立って、「正解」を必死で探しているからです。市場と農業が安定的に、ウィン＝ウィンの関係で共生できるような「落としどころ」を探しているけれど、そんなものは存在しません。

食い合わせが悪いものを無理やり食い合わせようとするから摩擦が起きる。こういう原理の違うものを折り合わせようとしたら、最終的には生身の人間に出てきてもらうしかない。自然と文明という食い合わせの悪いものを里山が間に入って共生させているように、市場と農業という食い合わせの悪いものを共生させるためには「中に立って調整する」ものが必要です。

それは個人の身体しかないと僕は思っています。その二つの領域の間にねじ込んでいって、なんとか折り合いをつけさせられるのは可塑性《かそ》のある生身の身体だけです。身体だけが「あちらが立てばこちらが立たず」という矛盾に耐えて二つの異なる原理を仲立ちをすることができる。

市場経済のロジックと渡り合える農村共同体

農業については、今後何世紀にもわたって通用する安定的なソリューションを見出すことは不可能です。その時々の流通の状態や、統治の仕組みや、テクノロジーの進度を勘定に入れて、そのつどの「比較的まし」なやりかたを探し出して、しのいでいくしかない。

今の農業に関する言説についていつも僕が感じる不満は、農業を語る人々が「正しい唯一の正解があるのに、それが実行されていない」というタイプの思考に領されていることです。「正しい解があるのに、愚鈍な人間たちはそれを知らない。オレはそれを知っているから、オレの言うことを聞け」というのが農政について語る人たちの基本的な文体ですけれど、それは端的に嘘です。現代における農業のやり方に「単一の正解」なんかあるはずがない。

前近代の農村共同体は市場経済の前に屈服しました。それに抵抗するだけの理論武装がなかったからです。だから、市場経済のロジックと五分で渡り合えるような農村共同体の新しい理論と実践のかたちは、これからみなさんが手作りするしかない。それがこれから農業をする若い人たちに課せられた人類史的な課題だと僕は考えています。

でも、そんな面倒な仕事を身銭を切ってやってくれる人はなかなかいません。それよりは、政府の農業政策が言うように「耕地を統合して、大規模経営にして、機械化して、経営を合理化して、人件費コスト・流通コストをカットして、マーケティングに基づいて収益性の高い作物だけを栽培して、利益を最大化する」という考え方のほうがなんとなく合理的に思えてしまう。

でも、それは錯覚です。何度も言いますが、株式会社的な発想で農業を営むことは原理的に不可能なんです。もちろん、営利企業がこれから一時的に農業に参入してくるということはあるでしょう。でも、今ここで僕はきっぱり予言しますけれど、農業に参入してきた企業はいずれ撤退します。

「強い農業」論者たちが忘れているのは、農地での耕作が成り立つためには、山や森や川や海がきちんと管理されていなければいけないということです。山が守られ、森が守られ、川が守られ、海が守られているからこそ、農耕は可能になる。日本の農村が伝統的に水系単位で形成されているのは、森と山を守らないと水田耕作はできないからです。

こういった「農耕を可能にする自然環境の維持管理」コストをこれまでは農村共同体が「不払い労働」として担ってきました。山に入ればつるや雑草を刈り取り、村落全体であぜ道や水路を補修して自然の再生産力を維持してきた。これはすべて農民たちが担ってきた不払い労働です。でも、この「下ごしらえ」があったからこそ、耕地での農作が可能だった。

しかし、営利企業が農業に参入してきた場合に、彼らが自然環境を保護し、自然の再生産力を持続させるためのコストを負担するでしょうか。僕は絶対にしないと思います。森を守る、海を守る、そんなことは行政の仕事だ。一私企業の与《あずか》り知らぬことであると彼らは言うでしょう。道路の補修も治水事業も行政の仕事だと言うでしょう。そういうことは税金でやるべきだ、と。これまで農民たちが不払い労働として担ってきたコストが公共事業に外部化される。でも、そう言われて「はい、そうですか」と企業活動のために税金を支弁する自治体があるでしょうか。企業が利益を増大できるように、山林を管理したり、水質を管理したりするコストを他の納税者に押し付けることは無理筋です。これまで農村共同体が不払い労働によって「農業ができる環境」を保持してきたのは、その受益者が共同体の全体だったからです。環境保全も農業という事業の不可欠の一部だという認識があったからやってきた。だから、もし企業が農村共同体に取って代わって農業をするつもりなら、その「不払い労働」のコストも負担すべきなのです。でも、企業はそんなコストを負担する気はありません。そもそも企業が「農業は儲かる」と思って事業計画を立てたときには、自然保護コストや再生産力の持続コストなんか一円も計上していないはずです。「そういうのは国とか地方自治体がやることだろう。経済活動しやすい環境を整備するのは行政の仕事じゃないのか」というのが彼らの言い分です。たしかに、自治体も国も最初のうちは、企業誘致のために補助金を出したりするかもしれません。でも、それに引き合うだけの「見返り」を企業化された農業がもたらすはずはありません。収益を上げるためには、生産性を上げなければならない。それは平たく言えば人件費コストを最少化することです。これまで一〇〇人の農業労働者がしてきた仕事を一〇人で、あるいは五人で達成しようとする。ですから、地域の雇用が増えることもない。原料や資材も一番安いところから運び込むでしょうから、地域の産業が振興することもない。場合によっては収益を本社に回して、地元には法人税さえ払わないかもしれない。

　企業が自治体の支援を得て農業に参入してきても最初のうちは利益が出るかもしれません。でも、継続的に再生産可能な自然環境を維持しようとすれば、環境保全コストはいずれ莫大なものになる。その時点で企業は「儲からない事業」からあっさり撤退することでしょう。あとはもう農業ができないまでに荒廃した自然環境と、耕すべき自分の土地も、伝統的な農業技術も失った人々が残される。

今の政権は「強い農業」という目標を掲げて農業を変えるつもりでいますが、僕はそんなことは不可能だと思います。市場原理と農業の間に原理的な対立があり、それを両立させるためには人間的な工夫が要るということがわかっていないからです。企業経営と同じ方法を農業に適用すれば合理化ができると思っている。

「日本的霊性」の覚醒をめざす地方移住

今回、周防大島に来て、ここでどんな農業の取り組みが行われているのか、僕はつまびらかにしませんが、「今まで誰もやったことがないことをしないと日本の農業はもたない」ということがわかっているということは感じました。シンプルで安直な解決策なんてないことをわかっている。とにかく少しずつ前に進むしかない。まだ誰もやったことのないことをしないといけないということがわかっている。

覚悟のある人は世の中にいくらもいますが、ほとんどの人は覚悟があると顔が引きつり、肩に力が入ってしまう。でも、周防大島の人たちはわりと顔がゆるんでいる。それは、これが長期戦だということがわかっているからだと思います。長期戦というのは、出口が見えないトンネルを進むようなものです。明かりがなかなか見えないときに歩み続けるために必要なのは笑顔なんです。どんなことが起きても笑って済ませるくらいのマインドがないと長期戦は続けられない。我慢とか使命感とか責任感というのは短期的にはパフォーマンスを上げてくれますけれど、長持ちしない。

いまの日本の農業をはじめとする地方の共同体というのは大きな転換期を迎えています。そのなかで周防大島が成功の戸口に指がかかっている状態のように僕には見えます。これはごく例外的なケースだと思います。

ご存じのとおり、地方回帰の動きが、いま日本の各地で見られています。毎日新聞が明治大学の研究室と共同で行ったアンケートによると、地方自治体の移住支援策を利用して地方に移住してきた人の数が過去三年間で四倍に増えている。数でいえば約一万人です。ただ、都道府県すべてがアンケートに回答したわけではなく、自治体が運営している支援策を利用しないで勝手に移住してきた人はカウントされていません。ですから、実際には支援策を利用しないで自発的に移動してきた人も含めるとおそらく、年間にして二万から三万人くらいが都市部から移住してきていると思います。

でも、これは考えれば、当然のことなんです。東京、千葉、埼玉、神奈川の一都三県の人口は三五〇〇万人に上ります。三五〇〇万人が一カ所に集中しているわけです。これは、防災上きわめて危険な事態です。福島原発の事故の後、首都圏機能を分散しようという議論が一時期活発になされました。でも、最近では誰も言わなくなった。それより東京オリンピック誘致だとか、カジノ開設だとか、首都圏に人を集める算段ばかりしている。首都直下型地震の恐れがあり、富士山の噴火の可能性もあるのに、防災対策はほとんど行われていない。食糧、飲料水の備蓄もないし、緊急医療の準備もされていない。

首都圏から一番近い政令指定都市は新潟です。何かあれば新潟から関越自動車道を通って東京に救援物資を運搬するしかない。それくらいに首都圏のロジスティックスは脆弱なんですけれど、それについて危機感が政府からも首都圏の自治体からも感じられない。東北地方は震災の復興が終わっていませんし、福島原発は相変わらずコントロールできないまま汚染水を垂れ流している。どうしてこれほど無策でいられるのか。

「戦後レジームからの脱却」と一緒で、あるいは破滅願望かもしれません。「こんな日本、一回チャラにしたい」という絶望を人々は感じているのかもしれない。石原慎太郎は震災のときに「天罰」と言いましたけれど、あれは失言ではなく、ある意味で現代人の本音だったと思います。自分たちは天罰を受けるくらいにひどいことをしているという実感がどこかにあるんです。だから、もし摂理があるなら、自分たちには天罰が下るはずだ、早く下ればいいのにという虚無的な願望を持っている人たちがいる。でも、そんな絶望的な気分で暮らしている人たちと一緒にいたくない、そんなところで子どもを育てたくないという人たちが地方へ移住している。

もうひとつ、都市部における雇用状況がますます劣化していることも移住を促す理由の一つだと思います。ブラック企業に勤めている人たちは過労死寸前まで追い詰められている。残業代ゼロ法案が通れば、これから正社員もどんどん賃金が下がるでしょう。結婚もできない、子どもも作れないという状況になれば、若い人たちには、もう都市にいるメリットがない。

ですから今後、堰《せき》を切ったように、都市部の若者たちが地方に流れ出る「エクソダス」の動きがあるだろうと僕は思っています。

僕の記憶では一九七〇年代にも一度、地方回帰の流れがありました。全共闘運動が瓦解した後、運動から召還した活動家たちが、有機農業やヨガや精神世界や武道や宗教に向かった。その中の相当数の人たちが有機農業に向かいました。主導したのは男性でした。理論ベースの運動でしたから、長続きしなかった。

でも、藻谷《もたに》浩介さんによると、今は地方回帰の流れを引っ張っているのは女性のほうだそうです。女性が移住しようと言い出す。男性は東京に仕事があるからと渋るんだけれど、奥さんが子どもを連れて移住してしまう。男性はしかたなく、それを追いかけてゆく。そういうケースが多いそうです。そうして、まっすぐIターンして、縁もゆかりもない土地に根を下ろして、そこに定住して、畑を耕したり、米を作ったりする。

まず頭で考えて、理屈が先にあって、身体がついてゆくというのではなく、身体や感覚が先行して、まず「ここにはいたくない」という気持ちに駆り立てられて、都市を離れていく。そういう流れは七〇年代にはなかったものです。これは大きな転換だと思います。

鈴木大拙という宗教学者がいます。『日本的霊性』という歴史的名著を残しましたが、そのなかで大拙は、平城、平安の都市文化から鎌倉へ文化の中心が移ったときにはじめて「日本的霊性」というものが生じたと書いています。都市から遠い農地で、両脚で泥濘《でいねい》を踏みしめ、足裏から大地の霊気を全身に受け止める。そういうタイプの人間が鎌倉時代にはじめて登場した。そのときに、真に日本的な仏教が誕生したのだと大拙は書いています。

もしかすると現代日本で起きている動きも、それに近い「日本的霊性」の覚醒をめざすシフトなのかもしれない。周防大島の中で起こっているようなことはこれから日本で起こってくる大きな運動の一つの徴候なのかもしれません。

四年くらい前から毎年、僕は山形県の鶴岡に行っています。鶴岡に内田家の菩提寺があるので、法事のついでにイベントに呼ばれて行っているのですが、その鶴岡でも若い人たちが地域の再生に取り組んでいます。農業だけでなく、レストランやカフェや映画館や出版をやったりさまざまな事業を展開しています。興味深いのは羽黒山伏が運動の中心にいることです。地域再生を担っている若者たちの多くが山伏修行者たちなのです。修験道の修行という宗教的な儀礼を核にして、ある種の宗教共同体が形成されている。鶴岡の例はきわめて示唆的だと僕は思います。おそらくこのような宗教的な活動を核としての地域再生運動もまた今の日本では同時多発的に起きていると思います。これは一つの文明史的な転換の兆候のように僕には思えます。

話をそろそろまとめます。希望はあります。でも、「こうすればすべてが解決する」というタイプのソリューションはご提示できない。これからはたいへんきびしい困難な経験をしなければならないだろう。そう思います。政策的、技術的な手立てでは解決できない、みなさんの前には、もっと本質的な、市場経済と農業の間にある原理的な矛盾が露呈してゆくはずだからです。その矛盾に対して、制度的に対応することはできない。人間が生身の身体をその矛盾の間に投入することによって、肉と骨を軋ませて折り合いをつける以外に手だてがない。

農業が終わることはありえません。終わったら、人間の身体がもたない。同じように、市場経済がなくなることもありえない。市場経済を組み込んで社会システムができていますから、今さら変えられない。でも、この二つは食い合わせが悪い。だから、軋みが出る。その軋みを全身で受け止めているのがたとえば周防大島で働いている人たちなんだと思います。

その文明史的な転換をみなさんは砂かぶりで経験しているわけです。せっかくなら、それはできるだけ愉快に経験したらよいと思います。そのための組織論はこれからさまざま工夫する必要がある。でも、みなさんはきっと見つけ出すと思います。

個人的には、ここ周防大島は大丈夫だなと感じております。僕の直感は当たりますから、ご安心ください。

第五章

会社の生命力を取り戻す

日本の会社の雇用形態がもっとも成功した時代

仕事と会社の改革が叫ばれています。でも、「働き方改革」という言葉の意味が僕にはわからない。だって、もし「改革」するなら、日本の労働史、会社史のなかでもっとも成功した雇用形態や勤務形態がどのようなものだったのかを考えて、それを参考にするというのがふつうじゃないですか？ 今の雇用形態や働き方が「改革」を要するところまで欠陥の多いものであるとしたら、どうして、そうなったのか、それを吟味して、それを修正するというのがことの筋目じゃないんですか？ どうしたら、そういうときに「これまで一度もやったことのないやり方」を採用したら成功するというような推論ができるんですか？ 僕にはよく理解できません。

僕の見るところ、日本の雇用形態と勤務形態がもっとも成功したのは、一九五〇年代の終わりから七〇年代のはじめにかけてです。それがどのようなものであり、どうして成功したのかについて、以下に思うところを述べます。

それより前の雇用形態はどんなものだったのかというところから話を始めます。前近代には「大店《おおだな》」というものがありました。今の企業に相当するものです。大旦那がいて、大番頭さん、小番頭さんがいて、手代がいて、丁稚《でっち》がいる。独身者はみなお店に住み込んでいて、そこで三度のご飯を食べる。丁稚は十歳くらいでお店に雇われて、そこで読み書き算盤《そろばん》を覚えて、やがて手代になって、番頭になる。そしてある日大旦那さんに呼ばれて、「長い間奉公してくれたね。もうお前も一人前だ。これからは自分が主《あるじ》になって商《あきな》いに精出すんだよ」と「暖簾《のれん》分け」ということをしてもらう。「暖簾分け」というのは屋号や商標を同じくした「分家」になるということです。ブランドの持つ信用やお得意さんとのつながりやサプライチェーンを引き継ぐことができますから、ゼロからの起業に比べたら圧倒的なアドバンテージがあります。

日本資本主義の成功の要因のひとつは、この前近代までの大店システムがあまりかたちを変えずに株式会社に移行したことにあります。土着の大店という業態と、英国渡来の株式会社が「習合」したわけです。

ヨーロッパの株式会社の起源的な形態は『ヴェニスの商人』を見るとわかります。出資者たちが集まって、船を一隻仕立てて、船が遠洋航海して、珍しい特産品を積んで戻ってくれば大金持ち、沈んでしまえば一文なしというようなきわめて投機的なものでした。ですから、出資者を募って冒険的な事業に投資するという株式会社のかたちは資本主義の初期においても投機的すぎて社会的信用のないものでした。十七世紀終わりから十八世紀初めにかけて、株の仲買人たちは「ジョバー(jobber)」と呼ばれていました。ロンドンの〝エクスチェンジ〟横丁のコーヒーショップに陣取って、投資家に怪しげな株券を売りつけていた詐欺師まがいの輩《やから》です。ですから、あまりに賭博に近いので、株式会社という業態そのものが一七二〇年には英国政府によって違法とされました。

けれども、産業革命によって英国の産業が急激に活性化すると、事情が変わります。薄く広く出資を募り、資金力はないが事業についてのオリジナルなアイディアをもつ経営者に冒険的な事業機会を与えるという点で、株式会社はすぐれたモデルだったからです。

でも、日本の場合、そうではなくて、もともとあった「老舗の大店」というものが近代企業の前駆形態になった。それは投機的な性格のものではありません。江戸時代の定常経済に適応した、良質の商品とサービスを安定的に供給すること、取り引き先と顧客との信頼関係を継続することに軸足を置いたありかたです。

イギリス産業革命期の株式会社と日本の「大店」の最大の違いは、前者が「スピード」を大きな価値とするのに対して、後者が「安定と継続」を重く見たという点にあります。それくらいの質の違いがあった。そして、その違いを保ったまま、大店は近代的な株式会社に移行していった。

僕が子どものころに周りにあった会社は、規模の大小にかかわらず、基本的には終身雇用でした。社員たちは疑似的な大家族の一員でした。ですから、子どもを丁稚に入れて、手代番頭に仕上げていったように、会社の中で人材育成をしていました。もちろん、年功序列です。ある年齢に達したら、業務能力にかかわらず、ある職位に列する。基本的に勤務考課はしない。任せる仕事は能力に応じて変えますけれど、同期に入社したものは、だいたい同時期に同じ職位に列する。

「ろくに仕事もでけんのに、図体ばかり大きうなって　あんまりみっともないから　ご近所の手前もあろうかと思うさかい、旦さんに頼んで肩上げ下ろしてもろた」というフレーズが桂米朝の『百年目』に出てきますけれど、これは「重助どん」が丁稚から番頭に職位が上がったときの事情を語った部分です。職位は一つデジタルには上がったけれど、社内教育はアナログなかたちで「子どもて誰のこっちゃ、おまはんが子どもと違うかい」と「大番頭さんのきつい小言」を介して継続しています。こういう教育はいつまでも続いて、「暖簾分け」の日が来るまで終わりがない。ですから、ある時点での数値的な差を他の社員たちと比較してその優劣をうるさく言い立てるということはしない。

『百年目』は前近代の雇用関係を知るにはまことにすぐれた教材だと思いますけれど、ここで上司が行うのは「査定」ではなく、「心得」の伝授です。仕事においては何がたいせつかというだけではありません。「商人《あきんど》」として生きるとはどういうことか、お得意さんにはどう接すべきか、後輩たちをどう育てて一人前にするのか、芸事を嗜《たしな》んだり、お茶屋で遊んだりするのはどうしたらよいのか、そういうあらゆる領域についてのノウハウを上の者が下の者に口伝《くでん》で、適切な場面で、教えてゆく。『百年目』では、大旦那さんが大番頭さんに「遊び」の極意を語るところが物語のハイライトです。大旦那さんは、大番頭さんの花見の席での濫費乱行を咎めずに、むしろ「正しい乱れ方」を諭《さと》してこう言います。

「ああいうときにはぱあっと使い負けせんようにやってもらわんと。向こうさんが五〇円ならこっちは一〇〇円、向こうさんが一〇〇円なら、こっちは二〇〇円というぐらいのことでやってもらわんことには、いざというときに商いの切っ先が鈍りますでなあ」

この「いざというときに商いの切っ先が鈍りますでなあ」というときに米朝の眼がきらりと光ります。ふだんは温厚寛容な大旦那さんが懐に収めている研ぎ澄まされた「商人の利剣」が垣間見える……というところがこの落語のきかせどころなんですけれども、実によくできた話だと僕は思います。ビジネスの要諦は「人をどう育てるか」にあるということを実に雄弁に物語っておりました。

疑似家族、拡大家族の場

何歳くらいになって、どれくらいの職位に達したら、どういう芸事を嗜むべきか、ということは少し前まで社会人がわきまえておくべきたいせつな「常識」でした。ですから、今はもうほとんど見ることがありませんが、かつては大きな会社にはどこでも「クラブ」がありました。会社の構内に、スポーツのクラブのための体育館があり、武道のクラブのための武道場があり、華道や茶道のための和室もありました。当然、謡曲部もありました。玄人の能楽師の人を講師に呼んで、仕事の後に、そこで謡曲のお稽古をするのです。講師料は会社持ちです。阪神間の大企業のそういう福利厚生施設はおおかたが震災で壊れてしまいました。たぶん、多くは再建されないままだと思います。終業時間の後まで会社の中にとどまって、会社の同僚と過ごすということに「うんざり」という社員が増えたせいもあるでしょうし、そもそも終業時間が十時とか十一時とかでは、「クラブ活動」なんかできるはずもありませんから。こういう「会社が社員の稽古事を支援する」という仕組みはかつての終身雇用・年功序列型企業の特徴でした。「働き方」どころか、「遊び方」まで教えたのでした。

僕が子どもの頃、一九五〇年代までは、父親の会社の人がよく家に遊びに来ていました。週末に部下全員がうちに来て晩御飯を食べてゆくこともあったし、日曜もよく部下たちが遊びに来て、縁側で碁を打ったり、人数が揃うと麻雀をしたりしていました。社員旅行や社員たちのハイキングというのもよくありました。夏は会社が鎌倉海岸に民家を一軒借り切っていて、社員たちは家族連れで泊まりがけの海水浴に行きました。

父の三周忌のとき、生前父の部下だったYさんという方がぜひ話しておきたいことがあると言って、僕と兄を脇に呼んで、こんな昔話をしてくれました。若い頃、彼が精神的に落ち込んで、出社できなくなったことがあったのだそうです。その頃直属の上司だった父が彼の下宿を訪れて「一緒に釣りに行こう」と誘った。誘われるままに、二人で水郷に行った。朝、船を出して一日釣竿を垂れている。ときどき父がウィスキーの小瓶を差し出すのでそれを飲む。それ以外はほとんど無言で、夕方まで釣りを続け、宿に戻って風呂に入って、飯を食って、酒を飲む。翌朝また船を出す……そういうことを何日か続けたそうです。父はその間ずっと会社を休んでいた。Yさんもさすがに根負けして、「もう帰りましょう」と言って、二人で東京に戻った。「いったいどうしたのか」とか「早く会社に戻れ」とかそういうことは一言も言わずに父はただ並んで釣りをしていただけだそうです。「君たちのお父さんはそういう人でした」とYさんは遠い目をして話し終えました。

今なら、Yさんの休職は許されても、上司の課長が出社できなくなった部下のために何日も仕事を休むというようなことはまずありえないでしょう。父は別に例外的に親切な人ではありませんでした。でも、部下思いの、公正な上司ではありました。それくらいのことをするサラリーマンは一九五〇年代にはまだいくらもいたということです。

終身雇用というのは、そういう種類の人間関係で編み上げられていた。そして、この時代の日本の企業が「働き方」としてもっとも成功した。もちろん日本の驚異的な経済成長にはそれ以外の外因もあります。国際関係とかテクノロジーの進化とか出生率とか農村からの若者の移動とか。でも、働き手たちに全人的な成長を求める、この「大店」的雇用形態が深く与っていたことは間違いないと僕は思います。

でも、一九七〇年代に日本的雇用の三つの条件（終身雇用・年功序列・企業内組合）が「日本モデル」と言われて海外から注視されるようになった頃には、もうこの前近代的な雇用形態は崩れ始めていました。企業活動のテンポがどんどん加速していったからです。

十二歳で丁稚になって、四十歳で暖簾分けというような気長な人材育成戦略を採れたのは、経済が定常的だったからです。サプライチェーンもクライアントも数十年来変わらないという条件だからこそ「お得意さんとのおつきあい」がたいせつだった。でも、産業構造そのものが変化してゆく。新しい業種が生まれる。新しい商品やサービスが開発される。新しい市場が出現する。目まぐるしく環境が変わるなら、その時々のニーズに特化した「即戦力」を「期間限定的」に雇用するほうが費用対効果がよい。こうして、終身雇用・年功序列が廃され、めまぐるしく人が入れ替わる成果主義・年俸制といった仕組みが合理的とみなされるようになってきた。

そうなると、もう同じ人と長い時間を共に過ごすということがなくなる。上司と言っても、ただ業務を指示するだけで、部下の市民的成熟を支援するとか、精神的ケアをするとかいうことはジョブ・デスクリプションに記載されていない。だから、終業後にちょっと飲みに行くくらいのことはあっても、自宅に麻雀しに行くとか、日曜に家族連れでハイキングに行くとか、うち揃って謡の稽古に通うとかそういうべたついた人間関係はほとんどなくなった。

植木等の『無責任一代男』は一九六二年の大ヒットですが、そこにはサラリーマンの出世心得として「ゴルフに小唄に碁の相手」というフレーズがあります（作詞は青島幸男）。この頃にはまだ勤務考課のポイントを上げるためには、ただ「仕事ができる」というだけではなく、「上司と同じ芸事を嗜む」近しさが求められたことが知れます。

僕のお能の師匠の下川宜長先生は、若い頃に阪神間のある大企業の「謡曲部」に謡を教えに行っていたそうです。大勢が熱心に稽古していたのですが、謡曲部の常連だった重役が定年退職すると、潮が引くように部員がいなくなってしまった。一九七〇年代には、もうサラリーマンにとって芸事はそこまで身も蓋もなく「道具化」していたのでした。

そんなふうにして、日本企業の働き方は変わってゆきました。僕が平川克美君と小さな翻訳会社を起業したのは一九七七年のことです。僕たちの会社は短期間にずいぶん成功したので、話を伝え聞いて、仕事にあぶれた若者たちが「雇ってください」とやってきました。平川君は彼らをほとんどかたっぱしから雇い入れました。「そんなに入れて、大丈夫なの？」と僕が心配して訊くと、「あいつらを食わせられるくらいオレたちが稼げばいいんだよ」と彼は笑っていました。「食わせなくちゃいけない社員がいるから仕事を探す」というのは、ある特定のジョブに適した即戦力人材を期間限定的に雇用するという「近代的」な働き方とまったく逆のものです。でも、僕は直感的にそれが「正しい」と思いました。それは僕たちが「会社」というときに参照したのが、平川君は彼の生家である「平川精密」という町工場であり、僕は父が勤めていた会社であり、モデルはずいぶん違うのですが、「会社というのは家族のようなものだ」という根幹のアイディアそのものは共通していたからだと思います。

凱風館は武道の道場ですけれども、僕が理想としている一九五〇年代の日本企業のかたちを模倣しています。疑似家族、拡大家族です。だから、武道の稽古と、寺子屋ゼミにおける研究教育活動が中心なのですけれども、そこに参加する門人ゼミ生たちを僕はとりあえず「身内」認定する。そして、みんなで宴会をし、スキーに行き、海水浴に行き、ハイキングに行き、麻雀をする。むかしの「会社」と同じです。父の部下たちがよく家に来ていましたので、それに倣って、凱風館は一階の道場部分がパブリック・スペース、二階の書斎とリビングはセミ・パブリック・スペースとしています。凱風館は僕が管理している建物ですけれど、これを僕は私物だとは思っていません。共同で管理して、共同で利用すべきものだと思っています。

「囲い込み」によるコモンの消滅

イギリスの田園には「コモン（common）」と呼ばれる共有地がありました。自営農たちがそこで羊や牛を飼ったり、果樹を育てたり、野生獣を狩ったり、魚を釣ったりしていた。でも、コモンは十六世紀からしだいに私有化され、十九世紀には消滅しました。この私有化プロセスのことを「囲い込み（enclosure）」と呼びます。高校の世界史で習ったと思います。共有地のままだと土地の生産性が上がらないということを言い出した人たちがいた。共有しているからいけないのだというのです。人間は共有しているものは雑に扱う。私物だと思うとたいせつにする。共有地が非効率に利用されていても気にならないが、私有地であればできるだけ効率的に利用しようとする。人間とは「そういうもの」だ、というのが「囲い込み」を正当化するロジックでした。

共有権を分割して私有化することによって、人々は、自らの行動の結果を、良きにつけ、悪しきにつけ、自らの責任のもとに処理せざるを得なくなり、おのずから合理的な選好を迫らざるをえなくなる。(宇沢弘文、前掲書、一五八頁)

そういうふうに推論したのです。コモンを私有化すれば責任の所在が明確になり、希少資源の効率的な分配が実現する。

共有地制度のもとでは、市場のメカニズムが十分に働くことができず、私有化することによってはじめて、アダム・スミスのいう市場の「見えざる手」が働くことができるというのである。(同書、一五八頁)

それがコモンを私有地化するときのロジックでした。そして、実際に資本家たちはコモンを買い集めて、大規模な農地にして、機械化・効率化を進めて農業革命を達成しました。でも、その一方で自営農たちは土地を失い、共同体のつながりを失い、没落して、農業労働者になり、あるいは都市プロレタリアになって産業革命の労働力を供給することになりました。

たしかに歴史が教える通り、コモンの生産性は高くはありませんでした。というのも、それを利用してどうやって「儲け」を出そうかということは人々の優先的な関心事ではなかったからです。人々はそれよりもコモンからどういう「生活の豊かさ」を汲み出すか、それをまず考えた。広大な土地を共同所有・共同管理しているわけですから、所有・管理の「主体」は共同体です。まずこの共同体を基礎づけ、それに命を吹き込むことが最優先する。そのために人々は農事暦を共有し、固有の食文化や祭礼を守った。そういうものによって結ばれていないとコモンの共同管理はできないからです。「囲い込み」はそういう共同体の紐帯《ちゅうたい》そのものを断ち切りました。それによって農業生産性は飛躍的に向上しましたけれど、農村共同体は解体し、富は大規模農場経営者に集積し、農民たちは貧困化したのでした。

「囲い込み」のロジック、すなわち財は共有されていると損耗し、持続不能になり、私有化されることによって効率的に利用され、富をもたらすというのは、二十世紀の「なんでも民営化」をめざす新自由主義経済と同型的な発想です。でも、このロジックには大きな瑕疵《かし》があります。それはコモンの利用についてはそれを持続可能な状態に保つための伝統的なルールがあり、人々はそれに基づいて行動してきたという歴史的事実を見ていない点です。コモンの存在理由は「利益を出す」ことではなくそれを共同管理するというミッションを通じて「共同体を基礎づける」ことにありました。

人間はいついかなる場合も自己利益の最大化を求め、共同体の解体や共有財の損耗よりも自己利益を優先的に配慮するものだというのは、新自由主義者にとってはリアルな実感なのかもしれません。でも、世の中にはそういうふうには考えない人もいます。自己利益の最大化よりも、定常的な共同体に帰属して、そこで社会的承認を得ることのほうが好ましいと思う人間もいる。でも、十九世紀以来、資本主義は、そういう人を勘定に入れると市場の「見えざる手」が働かないという理由で、そういう人は「いない」ということにした。たしかに、「自分さえよければそれでいい。今さえよければそれでいい」という人はたくさんいます。もうそれが多数派かもしれない。でも、そうではない人たちもいる。僕が凱風館の実践を通じて証明したいのは、「そうではない人」もいるという事実です。

新しいコモンがなりたつ条件

共同体の解体と、階層の二極化というプロセスは、資本主義社会では、その全期間において、遅速の差はあれ、進行しています。もちろん、現代日本でも。僕は凱風館を作るときに、この趨勢に抗って、「新しいコモン」を再構築することはできないだろうかということを考えました。

高度成長期やバブル期でしたら、「コモンの再構築」などということを僕が口走ったら、一笑に付されたでしょう。あの時期はむしろいかにして共同体を解体してゆくか、そのことにみんな夢中でしたから。

高度成長期には、血縁・地縁共同体ばかりか、家族さえも解体すべきだと思われていました。一人一人が自分の好きな私的空間に、好きな家具を並べ、好きな音楽をかけ、誰にも気兼ねなく好きなライフスタイルを享受することが「すばらしい生き方」だとみなされていました。もちろん資本主義市場経済がそれを要請したのです。だって、一軒家に暮らしていた四人家族がばらばらに暮らすようになれば、住居が四つ要るし、冷蔵庫や洗濯機やエアコンも四つ要る。家族が解散すると、需要が激増する。だから、日本における「囲い込み」は二十世紀の終わりごろに、「家庭というコモンの解体」という仕方で行われたのだと思います。でも、そのときには、家族解体が資本主義の要請だということには誰も気がつかなかった。一人一人が自立して、家族の誰にも気兼ねせずに、「自分らしく」生きることは端的に「よいこと」であり、旧弊なパターナリズムが解体してゆく歴史的過程に他ならないと思っていた。でも、あとから考えたら違いました。あれは「囲い込み」だったんです。もちろん、「囲い込まれたい」という人もいます。でも、「囲い込まれたくない」人だっている。どういう生き方をしたいのかについては複数の選択肢があっていいはずです。一人で生きたいという人もいるし、相互扶助的な共同体に属したいという人もいる。何にも縛られず自由気ままに生きたいという人もいるし、先人から受け継いだ伝統や技芸を守りたいという人もいる。僕は後者です。そういう生き方は資本主義的にはまったく歓迎されないものですけれども、いいじゃないですか。僕は資本主義に義理立てする気はありません。

前に農業と市場は相性が悪いということを申し上げましたけれど、共同体と市場も相性がよくありません。相互扶助的な共同体は資本主義市場経済とは相性が悪い。というのは、相互扶助のネットワークが活発に機能していると、そこでは人々が「必要なものを市場で、貨幣を投じて購入する」という機会が減じるからです。だって、お金を出して買わなくても、手に入るから。

凱風館は、構成員は家族を含めると数百人という規模です。そうなると、生活に必要な知識や情報や技能のかなりが共同体内部で調達できます。子守りであったり、引っ越しであったり、ＩＴ環境の設営であったり、着付けであったり、就職の紹介であったり、ベビー服のおさがりであったり……そういうことは共同体内で片づく。市場で調達しようとすれば、かなり高額の出費を強いられる商品サービスがここでは無償で手に入る。代価は要りません。贈与されるのです。

ただし、贈与に対しては反対給付義務が発生します。「もらいっぱなしでは罰が当たる」という精神的な負債感が残る。これはあらゆる「贈与論」が教える通りです。でも、返礼は贈与してくれた人に直接するものではありません。自分もまた贈る機会があったときに、差し出せるものがあれば、それを贈与すればいい。

「パスをつなぐ」という言い方を僕はよくしますけれど、ボールゲームでは、次々と予想外のコース、予想外のプレイヤーにボールを送り出すことのできる〝ファンタスティック〟なプレイヤーのところにボールは集まります。贈与と反対給付で回る共同体経済でも同じです。そこでプレイヤーに求められるのは「誰も思いつかなかったようなパスコース」を経由して「誰も予測できなかったプレイヤー」にボールを贈る創造的な力です。「子どもに碁を教える」「釣り師が釣ってきた鯛を三枚におろす」「アメリカの医療経済の状況を三十分でレポートする」……など凱風館で珍重されるのは、そういった「意外な情報、意外な技能」です。

ですから、かなり高額の（場合によってはpricelessの）商品サービスが行き来しているにもかかわらず、ここで営まれている経済活動はGDPには加算されません。経済学的にはここは「何も生み出していない」ことになる。でも、ここで行われているのは明らかに一種の経済活動だと僕は思います。

貨幣にはいくつかの特性がありますが、その最大の特性は運動性です。貨幣は交換を加速するための装置です。物々交換より貨幣を使ったほうが交換は早く進む。物々交換は、偶然出会った二人の一方が余らせているものを他方が求めており、一方が足りなくて困っていたものを他方が余分に持っているという「欲望の二重の一致」がないと成立しません。でも、そんなことは天文学的確率でしか起きない。だから、「何とでも交換できるもの」を一つ噛ませることによって、欲しいものは貨幣と交換できるという仕組みを作った。貨幣の発明によって交換は劇的に加速しました。

でも、貨幣そのものには使用価値がありません。だから、溜め込んでいてもしかたがない。

何かと早く交換しないといけない。一億円と一円の違いは、「それを何かと交換したい気分が一億円は一円の一億倍」ということです。机の引き出しの奥に一円玉が転がっていても「これをなんとかしなければいけない」とは特に感じませんけれど、押し入れに剝き出しで一億円の札束が積んであったら、「これをなんとかしないと」という焦燥はかなりのものです。外に出ていても「留守に泥棒が入らないかしら」と不安になるし、「火事になって燃えたらどうしようう」と不安になる。『水屋の富』という落語があります。富くじでうっかり一〇〇〇両当ててしまった貧乏な水屋が床下に隠したお金のことばかり考えて不安で夜も寝られなくなる……という話です。「なんとかする」というのは、貨幣をそれとは違うものと交換するということです。銀行に預けるのでも、株を買うのでも、不動産を買うのでも、なんでもいいです。とにかく貨幣を交換のサイクルの中に投じると不安が（少しだけ）減じる。

貨幣を持っていると、それを何かと交換したくなる。所有している金額と、交換したいという欲望の強度は相関する。それが貨幣の手柄です。その他にもいろいろ貨幣の機能はありますけれど、本質的には一つです。

だから、もし、貨幣を介在させないほうが早く交換が成立するなら、そこには貨幣の出番はないということになります。それが贈与と反対給付によって回る「コモンの経済」です。「あれ、ないかな」「あるよ。はい」「ありがとう」で話が済むなら、貨幣を稼いだり、かき集めたりする必要はない。

もちろん、こういうようなコモンの経済が成立するためにはいくつもの条件があります。コモンのメンバーが共同体を形成している必要がある。

凱風館がコモンとなり得るのは、それが道場共同体・教育共同体だからです。僕が師から伝えられた道統・学統を次世代に継承するために立ち上げた共同体です。第一章で述べたような「理解と共感に基づく共同体」ではけっしてありません。先人からの贈り物を次世代に「パスする」ことが道場共同体・教育共同体の存在理由です。だから、ここではメンバー全員がパッサーとして自己形成することを求められています。加盟の条件は一つだけです。「私はここで贈与されたものを次の人にパスします」という誓言をなすことだけです。それを誓約してくれたら、メンバーです。

ここには相互扶助それ自体を目的として加盟することはできません。合気道にも学塾にも興味はないけれど、仲間に入れてほしいという人は参加できません。僕たちが相互扶助的な共同体を構築しようとしているのは、それが成り立たないと「パス」が続かないからです。どんなことがあっても道統・学統を絶やさないために組織がある。その組織を維持するために相互扶助的にふるまわざるを得ない。目的は道統・学統の継承であって、相互扶助はそのための手段です。

「囲い込み」以前のイギリスの農村共同体が、農業技術や生活文化や伝統的な祭祀儀礼を守るために「コモン」の周りに結集していたのと同じことです。目的は「集まること」ではなく

「伝えること」です。その順逆を見落とすと、「コモンの再構築」は不可能だろうと思います。

職場は明るいほうがいい

二〇一九年に、『新聞記者』という映画が公開になりました。配給会社からコメントを求められたため、試写を観たのですが、すごくおもしろかった。主人公（松坂桃李）は内閣情報調査室に出向中の若手官僚なのですが、彼の働くオフィスが暗室かと思うくらいに暗い。薄暗いオフィスで、お互いにろくに口を利かないで、メディアの言論統制といういやな仕事にひたすら励んでいる。やりたくない仕事をしている人間の眼にはオフィスがだんだん暗く、モノクロに見えてくるということなんでしょう。画面の明度がそこでなされている仕事の不毛さと、その組織の存在理由の空虚さを際立たせるというなかなか巧妙な仕掛けでした。

でも、それは働く人間の実感だと思います。働く場所には「明るい職場」と「暗い職場」がある。どんな業種でも、人数が何人でも、どれくらいの規模でも、明るい職場は明るく、暗い職場は暗い。これはもうどうしようもないのです。そして、もちろん「明るい職場」でないと、働く人のパフォーマンスは上がらない。

でも、どうも現代のサラリーマンたちは「職場は明るいほうがいい」という基本のことがわかっていないような気がします。職場が明るかろうと暗かろうと、そんなことは生産性や売り上げや株価には何の関係もないと考えている人のほうが多いような気がする。「とにかくまず職場を笑いの絶えない明るい場所にしたいです」というようなことを年頭の挨拶で語る経営者というようなものはいるんでしょうか。なんだかいなさそうな気がします。それよりは、「弱肉強食」とか「Grow or die」とか「戦わざるものは去れ」とか、なんかそういう人を暗い気持ちにさせる言葉ばかり行き交っているんじゃないでしょうか。

どうして、「明るい職場」になりにくいのか。理由は簡単と言えば簡単なんです。それは企業の経営者と企業の所有者＝出資者が分離しているからです。株主は事業内容には基本的に興味がありません。自分が買ったときよりも株価が上がっていること、極端に言えばそれだけが関心事です。株券を売った瞬間に会社との関係は切れます。だから、その会社がかつてどういう理念をもって起業されたのか、この先どうなるのかなどは正直「どうでもいいこと」なんです。株を買った翌日に最高値を記録したので、そこで売り抜けた株主、「会社と一日しか縁がなかった株主」が一番クレバーな投資家だったということになる。

そういう人にとって、会社で働く人たちが笑顔かどうかなんて、どうでもいいことです。蒼《あお》ざめて、疲れて、死にかけた奴隷労働者だって、最少の人件費コストで雇用できて、利益率を高め、株価を押し上げる材料になるなら、株主から見れば「よい労働者」です。従業員の生活の安定、労働の再生産、社風や技術の継承は、経営者にとっては重大なミッションですけれど、これらはいずれも「会社を継続する」ためのものであって、「利益をもたらす」ものではありません。でも、経営者はこちらのほうを優先的に配慮しなければならない。

だから、株主と経営者、資本と経営の間ではめざすものが違っている。これもまた「相性が悪い」んです。ここでも他の場合と同じように、「相性の悪さ」は時間意識のずれから生まれます。今、ここに会社が存在して、健全に活動し、順調に収益を上げていることを望む点では株主も経営者も変わりはありません。変わるのは、それがどれくらい継続することを願うかにおいてです。

株主にとって会社が継続すべき時間の条件はシンプルです。株価が最高値をつけるまで。それだけです。一方、経営者は会社ができるだけ長く継続することを願います。だから、株主は一日でも早く株価が最高値をつけるような経営を求め、経営者は会社が一日でも長く生き延びることを願う。この時間意識のずれから「株式会社という病」(@平川克美)が発症することになるわけです。

僕はこれまでも「株式会社の寿命」ということをときどき書いてきました。アメリカでは五年、日本では七年というのが、今から数年前の数値でした。今ではたぶんもっと短くなっているでしょう。でも、株式会社の「寿命」はいったい何をもって計測するのでしょうか。そのとき読んだ本には「時価総額世界トップ一〇〇〇社」にランク入りしているかどうかが「寿命」の基準であると書いてありました。そのランクから脱落すると、その企業は「社会的影響力を失う」ので、企業としては「寿命が尽きた」とみなされるということでした。そのときは「そういうものか」と思って読み過ごしていたのですが、よく考えると、ランク外に落ちようとも、会社自体はその後も何十年もずっと、低空飛行のまま存続しているということは実際には多々あるわけです。でも、エコノミストはそのような会社は「死んだ」とみなす。人間が生きているのか死んでいるのかの判定は「脳死」問題でずいぶん議論されましたが、まだ合意形成はできていません。どうやら株式会社も同じらしい。そこで実際に働いている人たちや、材料を卸したり、下請けをしたり、顧客であったりする人たちからすれば「生きている」けれど、投資対象として見る場合には「死んでいる」。会社の継続を願う経営者や従業員にとっては会社はまだ生きているけれど、株価がピークアウトした会社には「用がない」人たちにとっては会社はもう死んでいる。生きているか死んでいるかの判定が違うくらいに資本と経営では会社の見え方が違う。それは使っている「時間のものさし」が違うからです。資本から見ると、株式会社が時価総額で世界トップ一〇〇社にとどまれるのは平均五年。それ以上継続するのはかなり例外的なことなんです。だったら、五年以上継続させるために（たとえば賃金を上げて従業員の帰属意識を高めることに）リソースを使うよりも、当期の利益を最大化することに（たとえば人件費を下げられるだけ下げることに）リソースを使うほうが合理的だということになる。その違いは、冷血であるか温厚であるか、強欲であるか無欲であるかといった属人的な気質によるのではなく、「生死の判定基準が違う」ことによるのです。

だから、今でも資本と経営が分離していない会社、株を上場していない会社では、このような「病」はそれほど危険なかたちでは発症しません。僕が平川君と起業した会社も株式会社でしたが、ずいぶんのんびりした会社でした。僕の兄も成功した経営者でしたが、上場の誘いをずっと断り続けていました。上場すれば、巨額のキャピタルゲインがあったのですが、「見知らぬ人間に経営方針についてがたがた言われたくないから」と言っておりました。

ステイクホールダー資本主義へ

その兄が話してくれた印象深い教訓に、「少し儲かり出したからといって、社長がベンツに乗るような会社は危ない」というのがありました。余裕が出てきたら、社長がまず自分のためにいい車に乗って、いい服を着るようになるような会社は遠からず傾く。そこまでいったのにはもちろん社長の手腕もある。もしかしたら九〇パーセントくらい社長の手柄かもしれない。でも、それでも、「その恩沢はまず社員に、それから次に自分」という順序は違えちゃいけない。みんなが「この成功は社長のおかげだ」と思っている場合にこそ、「まず従業員のために利益分配を行う」というふるまいは従業員のうちに感謝と敬意をかたちづくる。これからしっかり働いて、社長の期待に応えようと考える。たぶん、そういう理路なんだろうと思います。兄のこの経営哲学を聞いたときには「人心の機微を見ているな」と思いました。

今日本の経営者でそういう気配りをしている人はもうほとんど見ることがなくなりました。

アメリカのCEOの高額給与を模倣しているのでしょう。アメリカでは一九六〇年代には労働者の二〇倍の年俸を得ているCEOはまれでした。今アメリカのCEOの所得は労働者の平均所得の二八七倍です。従業員一五〇万人のウォルマートの労働者の年間給与の中間値は二万ドル、CEOの報酬は二二二〇万ドル、格差は一一〇〇倍に達します。このような格差は従業員たちの勤労意欲に致命的な傷を与えつつあります。兄の教訓に従えば「そんな会社はいずれ傾く」はずです。

この破滅的な給与格差は、富裕層に対する累進税率の抑制、労働組合の弱体化、貧困層への就学支援体制の不足、労働者保護法制の空洞化などさまざまな政治的介入の帰結です。「勝つ者」が総取りし、「負ける者」は自己責任で路頭に迷うべしというアメリカの「リバタリアニズム」的な政策の帰結です。市場に委ねたら「神の見えざる手」のおかげでCEOの給料が上がったわけじゃないんです。政治介入によって、人為的に格差を創り出したのです。どうしてそんなことをするんでしょう。だって、そんなことをしたら「職場が明るくならない」じゃないですか！　実際に、アメリカの労働環境はどんどん悪くなっています。

こんな低い労働分配率が続けば、遠からず労働者たちから再生産する力を奪い、知的イノベーションの機会を減じ、内需の市場の縮減をもたらすことになる。このままゆけば、権力も財貨も情報も文化資本も、すべてが一握りの富裕層に排他的に蓄積された社会になる。そういう社会では、もう「新しいこと」は何も起きなくなります。社会そのものが壊死《えし》し始めます。

株主資本主義は放置しておくと資本主義そのものを破滅に導く。僕はそう思っています。だから、再び政治的な介入を行って、富裕層に課税し、労働者を保護し、貧困層の社会的上昇を支援する法律・制度を整備する必要がある。という「ほとんど社会主義」的な政策が必要だと思います。さいわいアメリカでも、そういう主張をするエコノミストがじわじわと増えています。

「現状の資本主義はすでに限界に達している。内側からシステムを改革しない限り、存続することはないだろう」と書いたエコノミストは、その道筋を「企業の目的を『株主』だけでなく、『あらゆるアメリカ人に貢献する経済』を促進することへ」シフトすることだとしています（「資本主義を救う改革を　株主資本主義からステイクホールダー資本主義へ」、クラウス・シュワブ、Foreign Affairs Report, 2020, No.2, p.33)。

「ステイクホールダー資本主義」というのは、経済活動にかかわりを持つすべてのプレイヤーが等しく受益できる資本主義のことです。そういう仕組みにしないと資本主義はもたない。会社経営者や株主や労働者だけでなく、教育も医療も行政もエコシステムも、人間が共同的に生きるために必要なすべてのアクターが「ステイクホールダー」に算入されます。宇沢弘文先生の「社会的共通資本」という概念を借りれば「ステイクホールダー資本主義」というのは、「社会的共通資本主義」と言い換えることができるでしょう。

アメリカではＡＩの導入による雇用消失にどう備えるかという議論の中で「ベーシックイン

カム」の導入が真剣に語られ始めました。AIの導入で、一つの業界が短期間にまるまる消える可能性がある。数百万という規模で失業者が発生する。そのときに、「AIの導入くらいのことで雇用がなくなるような先のない業界に就職した本人の自己責任」として放置すれば、失業率が跳ね上がり、治安は悪化し、福祉や教育や医療などすべてのセクターで制度疲労が起こり、市場は縮減し、アメリカの資本主義そのものの存立基盤が危うくなる。常識的なエコノミストなら、それくらいのことは予測できます。

たしかに、テクノロジーの進化である業種が雇用を失うということは、これまでもありました。蒸気機関車の発明で、御者《ぎょしゃ》や馬具商は仕事を失いましたが、雇用がいきなりゼロになったわけではありません。鉄道網が全土に張り巡らされるまでに一世代分の時間はかかりました。だから、「親父の代までは馬具だけでいけたけど、これからは鞄とか靴とかも作らないかんな」というようなシフトが可能だった。それだけの時間があったということです。

今資本主義が直面しているのは、もっと短時間に、大規模に起きる雇用消失です。これを「神の見えざる手」に委ねたら、たぶん国民国家の基盤が崩れ始める。どうしても政治的な介入が必要になる。

これからあと資本主義はどう変わってゆくのか。雇用形態はどう変わってゆくのか。「会社」というものがどう変わってゆくのか。どういう政治的介入があるべきなのか、具体的に語ることは困難ですが、劇的な変化が迫っていることは間違いありません。そのときに、どういう方向に着地したらよいのか、その「希望」だけははっきりとした輪郭を持ったものであるほうがいい。僕は「コモンの再構築」、ステイクホールダー資本主義へのソフト・ランディングが現実的な政策ではないかと考えています。

と書いた後にコロナウィルスによるパンデミックが起きました。そうしたらアメリカの経済誌から「AIによる雇用崩壊」の記事はきれいに飛びました。「パンデミックによる雇用崩壊」の話で埋め尽くされています。二〇二〇年四月のアメリカの失業率は一四・七パーセントで大恐慌以来の数字。失業者数は二〇〇〇万人を超えました。この本が出ている頃に事情はどうなっているかわかりませんけれど、「経済か人命か」という二者択一が存立しえないことについてはエコノミストたちの予測はだいたい一致しているようです。連邦政府や州政府が感染抑制の達成を待たずに経済活動の再開を急げば、アウトブレイクが起こり、多くの市民の命が失われ、その結果経済はさらに長期にわたる停滞を余儀なくされる、というものです。

パンデミックをコントロールするための中途半端な措置を講じ、(職場環境の安全に配慮することなく)経済の再開を急げば、生命と生活の双方に大きなダメージを与える。リーダーは「公衆衛生にとって良いことはビジネスにとっても良いこと」だと肝に銘じる必要がある。(ラジーブ・チェルクパリ他、「脱パンデミックの経済学」、Foreign Affairs Report, 2020, No.6, p.77)

アメリカでは医療はこれまで市場で購入する「商品」とみなされてきました。良質な医療が受けたければそれなりの代価を払う必要がある。金がない人間は医療を受ける資格がない、と。だから、アメリカには二七五〇万人の無保険者がいます。感染症以外の疾病でしたら、それで通るかもしれません。けれども、感染症は全国民が等しく良質な医療を受けることができる体制を整えないかぎり、抑制することができません。貧しい人たちが高い感染リスクにさらされ続けるかぎり、彼らが感染源になってアメリカのアウトブレイクはエンドレスに続くことになる。失業者もこれだけの規模になると「自己責任で飢え死にしろ」とは言えません。そんなことをしたら社会が崩壊する。ロジカルに考えれば、政府が最後の雇用者となって失業者を救済し、全国民が無償ないし無償に近い代価で適切な医療を受けられる体制を整備する以外に、パンデミックのダメージから回復する手立てはありません。果たしてアメリカの市民たちはアメリカ再生のための大胆なヴィジョンを提示できるリーダーを大統領に選び出すことができるでしょうか。

第六章

仕事の概念を拡大する

人が住まなくなると、家は急に傷みだす

過疎化、高齢化の進行している地域では、檀家氏子《だんかうじこ》が減って寺社の維持がむずかしくなっていると聞きました。せっかくの宗教的な拠点がそうやって消滅してゆくことは、とてももったいない気がします。どうすればこれからの時代に、神社仏閣が生き残ることができるか。これは知恵を絞るに値する問題だと思います。

家というのは、人が住まなくなるとすぐに荒れてしまう。これは経験的に確かです。人が住んでいるほうが家の傷《いた》みは早いということはないのです。逆なんです。人が住まなくなると、家は急に傷みだす。壁が崩れ、屋根瓦が落ち、柱が歪む。不思議です。たぶん家というのも、そこに住んでいる人間から何らかの「生命力」のようなものを受け取って、それで生きているのではないかと思います。

凱風館は畳敷きですが、畳屋さんによると、「畳は呼吸している」のだそうです。部屋の湿度を一定に保つために、乾燥しているときは水気を吐き、湿ってくると水気を吸う。イグサは植物ですから、地面から抜かれて、織り上げられた後も、静かな生命活動を続けているのだと教えてもらいました。

漆喰《しっくい》の壁や、木材もそうなんでしょう。非活性的ではあるけれども、やはりある種の低レベルの生命活動をしている。そこに人間がいると、人間の生命活動と呼応して、それに賦活《ふかつ》され

て、家の畳や漆喰や柱も、少しだけ生命活動が活発になる。微妙に艶《つや》が出て、手触りがやさしくなる。そういうものじゃないかと思います。

だから、人が住まなくなると、家の生命力も衰える。あっという間に崩れてゆきます。奇妙な角度で柱がねじ曲がり、誰も踏まないのに床が抜ける。先日東京で見た廃屋は、半年ぶりに前を通ったら、床下から生えた竹が屋根や壁を突き破っていました。人が住んでいる家で、筍《たけのこ》が床を突き破って生えてくるなんて話、僕は聞いたことがありません。

そこに人が住んでいるというだけで、自然の力を押し戻す何らかの力が働いているということがあるんじゃないでしょうか。里山というのは文明と自然の緩衝帯だという話を前にしました。たしかに里山の住民たちは、山に入ったときには、蔓《つる》を切り払ったり、下草を刈ったり、水路や道路を整備したり……という「不払い労働」をしています。けれども、その程度の軽作業で自然の圧倒的な繁殖力を抑制できるということ自体、僕のような都市住民からすると、にわかには信じられないのです。

山で暮らす哲学者である内山節さんはこのような「仕事」についてこう書いています。

山村に滞在しているときは、私はたまに村の人たちと一緒に山菜や茸を取りにでかける。そんなとき村の老人たちは、昔からの習慣に従って、鉈やノコギリ、縄などを腰に下げてくる。山道がふさがれているときは枝をはらい、蔓にからまれている木をみつけると蔓を切る。山や木の所有権が誰にあるかなど構うことはない。

山の生命力を維持していくことの前には、所有権など二次的な問題である。そして、最近ではこういう仕事を誰もしなくなった、と嘆く。（内山節、『自然と人間の哲学』、農文協、二〇一四年、四〇頁）

僕は「繁殖力を抑制できる」と書きましたけれど、内山さんは「山の生命力を維持していく」と書いています。この二つはたぶん同じ現象を違う視点から見ているのだと思います。自然の「繁殖力」がある限度内に収まっているときに、それを「生命力」と呼ぶ。

さきほど竹林に呑み込まれた廃屋のことを書きましたけれど、そこに人が住んでいる頃もたぶんその家の庭には竹林があったのだと思います。でも、そのときは、竹の繁殖力はある限度内に収まっていた。だから、それは庭の景観をかたちづくり、春には筍という食材を提供した。でも、人が住まなくなったら、竹の繁殖力はある限度を超えて、もう人間にとっての有用性や使用価値とは無縁のものになった。そういうことではないかと思います。

人間は自然の前に立ったときに、ほとんどそこにいるだけで、自然の繁殖力を少しだけ抑制することができ、自然を「生命力」と呼べる範囲に押しとどめておくことができる。

だから、人がそこに存在しているだけで、「家の生命力」は賦活され、「山の生命力」は維持される。「存在しているだけ」ではちょっと言葉が足りないですね。そこにいて、「掃除」とか「片付け」とかをしているだけで、と言い換えます。内山さんが書いている「枝をはらい」「蔓を切る」というのは、家の場合だったら、「床を掃く」とか「打ち水をする」とか、そういうちょっとした作業のことだと思います。ただ、そこにいるだけじゃダメなんです。そこにわずかなりとも秩序をもたらそうと志向すること。だから、空き家に狐狸《こり》の類が棲みついても、たぶん家の崩壊は止まらないと思います。獣はたしかに生命体ではあるけれど、「家の中を片付ける」ということをしないからです。カオティックな世界にわずかなりとも秩序をもたらそうとするものが出現すると、それだけで世界はその表情を変える。

「引きこもり」を現代の堂守・寺男として採用

昔から、どんな神社仏閣にも堂守《どうもり》や寺男《てらおとこ》と言われる人がおりました。けっこう巨大な寺社に、たった一人で暮らしていることもありました。たいした仕事があるわけではありません。門を開け閉めしたり、鐘を撞《つ》いたり、庭の落ち葉を掃いたり、本堂に風を通して拭き掃除をしたり……くらいの仕事です。でも、そういう人が一人いて、そこに寝泊まりして、そこにささやかな秩序を保つための作業を日々繰り返しているだけで、巨大な建物が崩れずに維持された。軽作業ができる程度の人を一人住まわせておけば、その人が分泌する生命力と、秩序をもたらそうとするささやかな労働だけで大伽藍《だいがらん》は維持された。そのことを昔の人は経験的に知っていたのだと思います。

堂守や寺男は防犯防災のために配置されていたわけではありません。腕っぷしの要る仕事ではありませんから、押し込み強盗や盗人がきたら、とても太刀打ちできなかったでしょうし、煮炊きをするわけですから防災上は「いないほうがまし」かもしれない。でも、寺社を無住のままにすることを昔の人は決して望まなかった。

この堂守・寺男の仕事を無住の寺社、無住の家屋の維持管理のために就業斡旋《あつせん》することはできないだろうか……ということをこの間考えつきました。それは友人の渡邉格《わたなべいたる》・麻里子ご夫妻を鳥取県智頭《ちず》に訪ねたときに聞いた話から思いついたのです。

智頭もしだいに人口が減っている町ですけれども、その山奥にはさらに過疎の進んだ集落がある。あるとき、ついに住民がゼロになってしまった。でも、江戸時代から続く立派な家屋敷が残されている。お盆には法事に戻りたい。そこで「誰かに代わって住んでもらいたい」という話になった。たまたま家を探している女性がいて、その人が「住みたい」と言ってくれたので、集落の大きな家に住んでもらうことになった。その人は昼間は町へ下りて、パートの仕事をして、夕方になると集落に帰って、一人で夜を過ごす。人一人いない集落で寝起きするのはさぞ心細いだろうと僕は思うのですが、どうもそういうのが好きだという人だったらしい。そのうちまた二人、若い夫婦が集落に家を借りて、いまは家が数十軒あるその集落に三人が暮らしているんだそうです。

その話を聞いているうちに「これってうまくマッチングしたら、やりたい人けっこういるんじゃないか」と思いました。日本には今「引きこもり」が一〇〇万人いるそうです。終日部屋に閉じこもって、何をしているかわからないけれど、とにかく外に出たくない、誰にも会いたくないという人がそれだけいる。その中には、「別に自分の家の部屋じゃなくてもいい」という人もいるはずです。どこでもいいから、人と顔を会わさないで静かに暮らしたいという人がいたら、彼らを「現代の堂守・寺男」として採用したらどうか。

他人とコミュニケーションを取るのが苦手だというので部屋にこもっているのだとしたら、「無人の家で寝起きして、煮炊きして、ときどき雨戸をあけて風を入れたり、座敷を掃いたり、廊下を拭いたりしてくれるだけでいい」という仕事なら「やってもいい」という人がいるんじゃないでしょうか。一〇〇万人のうちに何千人かでも、そういう人がいたら、就業機会を提供できる。

昼寝をしていても、ゲームをしていても、本を読んでいてもいい。とりあえずそこにいて、家の生命力を賦活するという仕事です。たいした対価は受け取れないかもしれませんが、とにかく労働して賃金を得ることはできる。

このアイディアの根本にあるのは、自然から文明を守るための緩衝帯を機能させるためには、そこに人がいて寝起きして、ささやかながら秩序を保とうと努力している必要があるという経験知です。でも、「人間の生命エネルギーで建物が活性化する」というような話をしても、「エビデンスを示せ」と言われるとこちらも困る。困るけれど、誰かがマッチングの仕組みを考えてくれたら、そこそこ成約するんじゃないかな……という気がします。

これは前に「えらいてんちょうさん」こと矢内東紀《やうちはるき》さんから聞いた話ですが、彼の知り合いがマンガ喫茶の店員を時給一〇〇〇円で募集したけれど、誰も来なかったんだそうです。困って、「時給五〇〇円だけれど、仕事はしなくていい、ただレジに座っていてくれればいい」というふうに条件を変えたら人が集まったそうです。配膳したり、掃除したり、接客したりという「ふつうの仕事」はできないけれど、ただ座ってマンガを読んでいるだけの「猫の置物」みたいな仕事なら、最低賃金以下でもかまわないと考える若者がそれだけいた。

これを聞いて、僕はちょっとびっくりしました。けれども、たしかに何をもって「仕事」と呼ぶのかというのは一義的には定義できないことですよね。「これだけのことをしてくれたら十分です」という要求水準を大幅に切り下げてゆくと、「そういう仕事なら私にもできる」という人も出てくる。できるだけ多くの人に社会活動に参加してもらって、自分の社会的な有用性を知り、他者から承認してもらう機会を増加させるという観点から就業支援ということを考えると、「それでも仕事」の種類を増やしてゆくことはきわめて有効なのではないか、と。僕はそんなふうに考えたのです。

仕事というのは、一方に「してほしいこと」があり、他方に「それをしたい人」がいて、そのマッチングが成り立てば、どんなものでも「仕事」です。余人が「そんなものを仕事とは言わない」と口を出す筋のものではありません。でも、現代の就職活動は「仕事として社会的に認知された仕事」しか扱いません。だから、新卒一括採用という枠組みの中に、若い人たちが押し込まれて、「求人に比べて求職者数が圧倒的に多い」という非合理な雇用環境が人為的に作られる。そして、就活で次々数十社落ちるというような経験を通じて、自己評価をどんどん低下させ、最終的に「どんな雇用条件でも、どんな重労働でも構わないから、働かせてください」という卑屈なマインドをかたちづくる。能力のある若者を低賃金で働かせるためには実によくできたシステムだと思います。でも、こんなシステムでは、仕事を求めるすべての人に、それぞれができる仕事／したい仕事を配分してゆくということは永遠に達成できません。でも、本来就職の仕組みというものはそうあるべきではないですか。

もちろん、十年二十年と家に引きこもっている人たちに仕事をしてもらうというのは簡単なことではありません。けれども、働くことに慣れていない人たちの就業を支援することは今の日本社会ではとてもたいせつな仕事だと僕は思います。

働くことに慣れていない人たちの就業支援が成り立つためには、二つのことが必要です。一つは個人が蔵している社会的能力をできるだけ多様な「ものさし」で考量すること。これまでは社会的能力として認知されてこなかったものを積極的に「能力」として評価するということ。もう一つは、これまで「仕事」としては認知されていなかったことを積極的に「仕事」として評価すること。つまり、「労働者」と「労働」の両方の概念を拡大するわけです。「そんなものは仕事とは言わない」とか「そんなことで金が稼げてたまるか」というふうに仕事をきびしく限定する発想法をいったん棚上げして。「こんなのでも仕事のうち」「こんなのでも働いているうち」というふうに仕事について今よりオープンマインデッドになることです。

サッチャーの罪

ブレイディみかこさんの『子どもたちの階級闘争』という本を読んで、僕はイギリスに「アンダークラス」という「働くことができない階層」が登場したことを教えてもらいました。

ご存じの通り、第二次世界大戦後に政権を取ったイギリス労働党は「ゆりかごから墓場まで」というスローガンを掲げて、手厚い社会福祉政策を採択しました。全国民が無料で医療サービスを受けられる医療制度（NHS＝National Health Service）と全国民が加入する保険制度がその柱でした。この政策は当然のように膨大な財政支出をもたらしました。そして、一九七〇年代になると、それに対するバックラッシュとしてマーガレット・サッチャー政権下で福祉支出が大胆に削減されました。「社会など存在しない」という有名な言葉はそのときのものです。あるインタビューの中でサッチャーはあらゆる問題の解決を政府に求めることはできないとして、こう断言したのです。

「彼らは彼らの問題を社会に押し付けようとします。しかし、いったい『社会』というのは誰のことなのでしょう？　そんなものは存在しません！（Who is society? There is no such thing）」

サッチャーは、まず自らを助けようという意欲のある者しか政府の支援を期待すべきではないという「自己責任論」を掲げて、社会福祉の大幅な削減をしました。でも、このサッチャーリズムがもたらしたのは制度の問題というよりもっと精神的なダメージでした。貧困を自己責任に帰された人たちは、生活保護を受け取る代償に、社会的に無用な人間として自己を認知し、社会的にも認知されるという「刑」を課されたのです。

サッチャーの哲学の中心には、「貧困」は現実には存在しないという考えがあった。貧しい人がいたなら、それは彼ら自身が失敗したからだ。「今日、この国に根本的な貧困は存在しません」とサッチャーは言った。「西欧諸国に残っているのは貧困以外の問題です。たしかに、貧困らしきものはあるかもしれない。それは予算の立て方や、収入の使い途を知らないからです。しかし、いま残っている問題は、個人のごく基本的な性格の欠陥だけです。」（オーウェン・ジョーンズ、『チャヴ　弱者を敵視する社会』、依田卓巳訳、海と月社、二〇一七年、八三頁）

貧者たちは生活保護を受け取る代償として、「個人のごく基本的な性格の欠陥」ゆえに自分は貧困なのであるという自己評価を受け入れることを制度的に強制されたのです。サッチャーの政策の問題は、単に福祉予算を大幅に削減したということだけにあるのではありません。福祉の受給者たちを国民的な敵視と差別の対象とするイデオロギーを宣布したことにありました。

この敵視と差別の対象となる最貧困層が「アンダークラス」です。ワーキングクラスのさらに下です。労働していないので「労働者階級」とは呼ばれない。中には祖父母の代から孫の代まで、三代にわたって生活保護で暮らすというような人たちさえいるそうです。サッチャーの政策がもたらしたものについてブレイディみかこさんはこう書いています。

英国に住んでから彼女が犯した罪とは本当は何だったのかがわかった気がする。それは、経済の転換によって犠牲になる人々を敗者という名の無職者にし、金だけ与えて国畜として飼い続けたことである。(ブレイディみかこ、『子どもたちの階級闘争』、みすず書房、二〇一七年、三〇頁)

「国畜」とはまた壮絶な言葉ですけれども、この無職者たちは生活保護受給の代償として「自尊心」を差し出すことを求められたのです。

困窮している人には住む家を与えますよ。仕事が見つからない人には半永久的に生活保護を出しますよ。子どもができたら人数分の補助金をあげますよ。の英国は、その福祉システムのもとで死ぬまで働かず、働けずに生かされる一族をクリエイトした。(同書、一九八頁)

そういう人たちは彼らのための集合住宅に集住している。そういう環境の中で育った子どもたちはもう「就労」という概念そのものがうまく理解できなくなります。周りに働いている人がいないんですからしかたがない。毎朝決まった時間に寝て、決まった時間に起きる、朝起きたら顔を洗って歯を磨く、外を出るときには髪を梳《と》かして、見苦しくない服を着る、人に会ったら挨拶をする……そういう基礎的な生活習慣そのものが失われる。失われるというか、もともと周りの誰もそういうことをしていないのですから、身につきようがない。別に非礼なふるまいをしてやろうとか、しなければいけないことだとわかった上で怠っているということではなくて、自然にそうなってしまう。これは怖い話だと思いました。ある意味で、アルコール依存やドラッグやDVより破壊的な影響を子どもたちに与えてしまうからです。「働く」ということの意味がわからなくなってしまうからです。働くというのは、そう考えるとある種の習慣だということがわかります。朝起きて、顔を洗ったり、歯を磨いたりするのと一緒なんです。だから、そういう習慣がない人には意味がわからない。

集団が違えば、何を「仕事」とみなすかは違ってくる

先日、『セデック・バレ』という台湾映画を観ました。大日本帝国が台湾を植民地支配する過程で起きた台湾の現地民セデック族による日本人虐殺（霧社事件、一九三〇年）を扱ったものですが、最終的に住民たちが蜂起したのは、「働く」ことの意味をめぐっての致命的な「ず

れ」のせいでした。

セデック族の人たちは狩猟民族です。太古から森の中で野獣を狩って生きてきました。狩猟というのは、労働と遊びと身体訓練と神事が渾然《こんぜん》一体となった複雑な営みです。獲物を射止めたということは、食料の獲得であり、高い身体能力を持っていることの証明であり、森の神に愛されているという宗教的な「選び」の徴《しるし》でもある。だから、豊かな獲物を村にもたらした若者は顔に「一人前」の刺青を入れられます。

しかし、植民地化したことで、この太古的な生活が根本から変わってしまう。村人は狩人であることを禁じられて、山の木を切り出して製材場に運ぶ賃労働者にされたからです。労働が不本意ながら近代化された。でも、狩猟文化を失うことで、共同体を久しく束ねてきた宗教儀礼も生活文化も失われてゆく。神話的な豊かさに満たされた彼らの「コモン」が、製材原料を切り出すだけのただの林にまで零落《れいらく》したことに絶望して、ついに彼らは蜂起します。

僕たちは「働く」という言葉をまるでその意味が熟知された語のように使いますけれど、ほんとうに「働く」という言葉の意味を知っていると言えるでしょうか。セデック族の人たちにとって、狩猟と賃労働はまったく違うものでした。まったく違うものを同じ一つの「働く」という言葉に括り込むことはできない。日本人植民者たちは、セデック族たちは、ただ食料や毛皮を得るためだけに狩りをしていると思った。だから、生活必需品を市場で買えるだけの貨幣を稼げるなら、どんな仕事でも同じだろうと考えた。狩猟がいくつもの層を持つ深い文化的な営みだということを見なかった。

内山節さんは同じような区別を村落における「仕事」と「稼ぎ」の違いのうちに見ています。村で暮らすうちに内山さんは村人が「仕事」と「稼ぎ」を使い分けていることに気がつきました。

〝稼ぎに行ってくる〟村人がそう言うとき、それは賃労働に出かける、あるいはお金のために労働をすることを意味していた。(…)

しかし「稼ぎ」は決して人間的な仕事を意味してはいなかった。それは村人にとってあくまでお金のためにする仕事であり、もししないですむのならその方がいい仕事なのである。

ところが村人に「仕事」と表現されているものはそうではない。それは人間的な営みである。そしてその多くは直接自然と関係している。山の木を育てる仕事、山の作業道を修理する仕事、畑の作物を育てる仕事、自分の手で家や橋を修理する仕事、そして寄合いに行ったり祭りの準備に行く仕事、即ち山村に暮す以上おこなわなければ自然や村や暮しが壊れてしまうような諸々の行為を、村人は「仕事」と表現していた。(内山、前掲書、三二頁)

寄り合いや祭礼のような宗教性・遊戯性の色濃い営みであっても、共同体の結束を固めるものであるかぎりは、「仕事」とみなされます。道路や橋の補修や家屋の修理のような建築土木作業も、業者に外部委託しない。そのほうが短時間のうちに、質のよい仕上がりのものが期待できるかもしれないけれど、それでもアウトソースはしない。それなしでは共同体が存立しないことは自分たちでする。

「仕事」とはそれなしでは「自然や村や暮しが壊れてしまうような諸々の行為」であるというここでの定義は「働く」という語の解釈が一筋縄ではゆかないことを教えてくれます。

何が「仕事」で何がそうではないかの区別は共同主観的なものです。セデック族にとって、狩りは「仕事」だったが、材木運搬は「仕事」ではなかった。セデック族は「仕事」を取り戻そうとした。狩りを止めたら「自然や村や暮しが壊れてしまう」と思ったからです。でも、日本人植民者にはそれがわからなかった。

何が仕事で何が仕事でないのかは共同主観的に決定されます。そして、どういう基準でそれが区別されているのかは、共同体の外部からは見えない。

僕たちは生まれてからずっと見て育ってきたものを「ふつう」だと思います。仕事もそうです。周りの大人たちが誰でもしていることだから「自分も大人になったらしなければいけないこと」だと信じている。でも、それはただの共同主観的な決まりごとに過ぎません。別の集団では、それは「仕事」としては認知されないかもしれない。

だから、「仕事って何のこと?」という問いにも、「どうして働かなければいけないの?」という問いにも、実は僕たちはうまく答えることができません。その集団が何をして「それなしでは集団的に生き延びることができない活動」とみなしているかによって変わるからです。アンダークラスの話から知れるように、同じ国の中に暮らしていてさえ、帰属する集団が違えば、何を仕事とみなすかは違ってくる。

たとえば、農作物を実際に作っている人たちは「それなしでは生きていけない」食料を生産しているわけですから、明らかに「働いている」と言ってよい。しかし、たとえばキーボードを叩いて金融商品の売り買いをしてお金を稼いでいる人は「働いている」と言えるでしょうか？　その人は誰かの懐に入るはずだったお金を自分の懐に移動させているだけで、何も価値あるものは創り出してはいません。でも、僕たちの社会はこれを立派な労働だとみなしている。

農業が始まり「非生産者＝専門家」が発生する

現代資本主義社会には「価値あるものを創り出す人」と「それを統御管理する人」の二種類の労働者がいます。「仕事をしている人」と「人がちゃんと仕事をしているかどうか見張る人」の二種類です。そして、「実際に価値あるものを創り出す人」よりも、「価値あるものを創り出すプロセスを管理する人」のほうが偉い。地位が高く、高い給料を受け取っている。不思議ですよね。価値あるものを創り出す人よりも、価値あるものを創り出す人が「ちゃんと働いているかどうか見張る人」のほうが偉いんですから。

でも、別にこの倒錯は昨日今日始まったものではありません。労働の搾取は資本主義の発明ではありません。人類が農業生産を始めたそのときからそうなんです。

ソースティン・ヴェブレンは直接生産労働にかかわらず、生産された財に対して既得権益を主張する人たちのことを「有閑階級(leisure class)」と呼びました。

ヴェブレンによれば、有閑階級の起源は、野蛮時代における非生産的で栄誉を担う階級に発します。狩猟時代・野蛮時代において、強健な男子に期待されていたのは、略奪することでした。

武人も猟師も等しく種をまかなかったところで刈り取るのである。(ソースティン・ヴェブレン、『有閑階級の理論』、高哲男訳、ちくま学芸文庫、一九九八年、二五頁)

狩猟時代が終わった後も、もっとも尊敬される職業は武人であり、平時には聖職がそれに続きました。彼らは労働を免除されました。労働を「免除されているという一事が、彼らの卓越した地位の経済的な表現」(同書、一一頁)とみなされたからです。

略奪以外の手段で財を取得することは最高の地位にいる男にふさわしくない、と判断されるようになる。同様な理由から、生産的な仕事の遂行や他人への奉仕も同じ汚名を着せられる。略奪による英雄的行為や取得と産業的職業との間に、このような妬みを起こさせるような区別が発生する。労働は、それに帰された不名誉ゆえに、厭わしいという性質を獲得するのである。(同書、二八頁)

有閑階級は生産的職業に従事することを恥ずべきこととみなし、さらに労働者たちが生産するものに対して当然のように請求権を所有しました。

この有閑階級の発生を進化生物学者のジャレド・ダイアモンドは農業の発生と同起源だと考えています。狩猟採集民は食料調達が安定的ではないので、貯蔵できるほど余剰食物を持つことができません。食料が次にいつ獲れるかわからない。だから、飢餓ベースで暮らすしかない。余剰食物がない集団では、自分は働かずに人を管理するような非生産者には存在する余地がありません。だから、狩猟民の集団には有閑階級は存在しません。

しかし、農業生産が行われ、人口がある程度稠密《ちゆうみつ》になってくると、ここに余剰食物が生じます。農耕民が生産できるカロリーは単位面積当たりでは狩猟民の一〇倍から一〇〇倍。つまり農耕民は、単位面積当たりでは、狩猟民の一〇倍から一〇〇倍の人口を養うことができる。このときに、自分は労働に従事せず人に労働をさせることの専門家が登場します。

人口の稠密なところでは、農業を営んでいない住民が農民を支援するかたちで彼らを集約的な食料生産に従事させた結果、非生産民を養うに充分な食料が生産された。この農民を食料生産に専従させる役割をになう非生産者たちは、族長、僧侶、役人、そして戦士などである（ジャレド・ダイアモンド、『銃・病原菌・鉄（上）』、倉骨彰訳、草思社、二〇〇〇年、九一頁）

　農業生産が始まってはじめて「非生産者＝専門家」が発生します。そして、そのときに人類は、自分は食料生産に携わらずに、人に労働させるだけの非生産者がいるほうが、生産量は増えるという逆説的な真理を発見したのでした。

　有閑階級＝非生産者が従事した職業は、戦争、宗教、政治、スポーツ、学問などです。このリストを見ればわかるでしょうけれど、有閑階級は食料は生産していませんが、それでもある種の有価物を創造してはいるのです。彼らは「効率的な組織運営」とか「集団的熱狂」とか「嗜虐《しぎゃく》的快感」とか「宗教的法悦」とか「知的高揚」というような、食料生産に従事しているだけでは得ることのできない種類の有価物を提供したのです。たしかに、どのような集団も「そういうもの」なしでは集団的には存立しえないのです。「われわれは恐るべき敵と命がけの戦いを続けている」という物語でも、「われわれだけに選択的に好感を寄せる神によってわれわれは守られている」という物語でも、「われわれはあるミッションを託されてこの世に送り込まれた」という物語でも、集団の結束を高め、その集団に帰属していることの喜びを与えてくれる。そういう統合軸になる物語を持っている集団と持たない集団では、集団として生きる力が違う。

ダイアモンドは一八三五年にニュージーランドのチャタム諸島で起きたマオリ族によるモリオリ族の虐殺の例を引いています。マオリ族は組織された農民、モリオリ族は孤立した小集団から成る狩猟民でした。モリオリ族は人数的にはマオリ族の二倍いましたが、彼らには性能のよい武器もなく、戦闘技術にも習熟せず、組織的行動もできなかった。ひと月たらずでモリオリ族はほとんど全員が殺され、食べられました（同書、七七－八頁）。

自然環境と定常的な関係を保っているという点では、モリオリ族のほうがエコロジカルには正しい生き方をしていました。でも、政治指導者や戦士や武器職人というような非生産者を擁するマオリ族にあっという間に食われてしまった。有閑階級＝非生産者＝専門家をより多く擁している集団のほうが生き延びる力は強い。これは人類史的真理なのです。

軍隊に「督戦隊」というものがあります。戦闘のとき、後方に待機していて、前線で戦っている味方の兵士が戦況が悪くなって退却してくると「前線に戻って戦え。戦わないやつは殺す」と脅す係です。味方の兵士を殺したら戦力は低下するのですが、それでも殺す。それは兵士は戦闘するのが仕事で、督戦隊は「戦闘するインセンティヴ」を与えるのが仕事だからです（だから、前線から逃げてきた兵士に向かって「今から俺と一緒に前線に戻るやつには勲章を授与する」でも機能は同じです）。

有閑階級＝非生産者の機能は督戦隊と本質的には変わりません。彼らは集団を統合させる機能を果たしています。組織管理によって、あるいは技術開発によって、あるいは共同幻想の提供によって。

さきほど何の価値あるものを創り出さずに、キーボードを叩いてディスプレイに表示される数字に興奮しているだけの人間は労働していると言えるのかということを問いましたけれど、その人もたしかに労働をしているのです。それはその人自身の生き方を通じて「人間は金のために生きている」という幻想を振りまくことによって、集団成員たちに「働くインセンティヴ」を提供しているかぎりにおいて、ではありますけれど。

第七章

日本的民主主義の可能性

敗戦後の与えられたデモクラシー

先日、新聞の取材で、デモクラシーについて訊かれました。いまデモクラシーが衰えているように見えるのですけれど、それはどういう歴史的理由によるのでしょうという質問でした。そのときに、いささか悲観的な口調で、近代日本には、実際には民主的な制度を運用した経験がほとんどなかったのだから、国民の中にデモクラシーが根づかなかったのもしかたがないという話をしました。

たしかに、一九四五年の敗戦以後、日本国憲法下での統治機構は「デモクラシー」と呼ばれています。でも、僕はこれが本当の意味でのデモクラシーだとは思えない。これはどう考えても、日本の市民が市民革命を通じて戦い取ったものではないからです。これはGHQによって与えられたデモクラシーです。「与えられたデモクラシー」というのは「押し付けられた自由」と同じように背理的な概念です。日本人は市民革命を通じて近代的なデモクラシーを自力で勝ち得たわけではない。だから、戦後七十五年間の政治的経験を「デモクラシーの経験」と呼ぶことに僕は保留を加えたい。

もちろん、それ以前にもデモクラシーの萌芽的なものはありました。

福沢諭吉の『学問のすゝめ』は明治五年に第一篇が出版されましたが、「『天は人の上に人を造らず、人の下に人を造らず』といへり」から始まります。そこがとりわけ有名ですけれど、それに続くのも一読懦夫《だふ》をして立たしむ気合の入ったよい文章です。

されば今より後は、日本国中の人民に、生まれながらその身に付《つ》きたる位などと申すはまづなき姿にて、ただその人の才徳とその居処《きよしよ》とによりて位もあるものなり。(…)かりそめにも政府に対して不平を抱《いだ》くことあらば、これを包みかくして暗《あん》に上《かみ》を怨《うら》むことなく、その路《みち》を求め、その筋に由《よ》り、静かにこれを訴《うつた》へて、遠慮《えんりよ》なく議論すべし。天理人情《てんりにんじやう》にさへ叶《かな》ふことならば、一命をも抛《なげう》ち《ママ》て争ふべきなり。これすなはち一国人民たる者の分限《ぶんげん》と申すものなり。(福沢諭吉、『学問のすゝめ』、講談社学術文庫、二〇〇六年、二四-五頁)

政府に不平があるなら、情理を尽くしてそれを論じ、それが「天理人情にさへ叶ふこと」であると思うなら、「一命をも抛ちて争ふべきなり」と、福沢はここではっきりと近代市民社会における抵抗権の理を説いています。福沢は理想家でも、空論家でもありません。恐ろしいほど合理的なものの考え方をするリアリストです。そのリアリストの眼にも、明治維新直後には「わが日本の政風大いに改まり」、「一国人民たる者の分限」は封建時代のそれとは大きく変わったと見えたのです。

そして、自由民権運動があり、それを承《う》けて一八八一年に国会開設の詔《みことのり》が発され、八九年に帝国憲法が発布され、九〇年には帝国議会が召集される。ここまでの二十年間は明治人が試行錯誤しながら、日本の議会制民主主義を手作りしようとしていた時代です。間違いなく、この二十年間、日本人は自分たちの手で、日本固有の民主主義を創り出そうとしていた。

憲法発布に先立って、多くの思想家が私擬《しぎ》憲法を起草しました。もっとも民主的な憲法を構想したのはアメリカ式の連邦政府構想を立てた植木枝盛《えもり》です。その植木の「東洋大日本国国憲按」にも「皇帝は兵馬の大権を握る」という規定は残されていますが、「政府官吏圧制を為すときは日本人民は之を排斥するを得《う》」、「政府恣《ほしいまま》に国憲に背《そむ》き、擅《ほしいまま》に人民の自由権利を残害し、建国の旨趣を妨《さまた》ぐるときは、日本国民は之《これ》を覆滅《ふくめつ》して新政府を建設することを得」とはっきりと市民の抵抗権・革命権が明記されています。

植木は福沢諭吉に師事し、板垣退助の書生となり、馬場辰猪《たつい》・中江兆民とともに『自由新聞』を興した自由民権運動の中心人物の一人です。植木の構想が当時の日本人にとってどれくらい真剣に受け止められたのかは「時代の空気」を知らない僕たちにはうまく想像できませんが、明治維新からわずか十四年後にこのような民主主義政体を構想していた日本人がいたこと、そして高知の有権者が彼を最初の帝国議会に議員として送り出した事実は記憶しておいてよいと思います。

帝国憲法は第一条に「大日本帝国ハ万世一系ノ天皇之ヲ統治ス」とありますが、これについて天皇個人に主権が属すると解するのか、天皇は「大日本帝国という法人」の最高機関であると解するのかについては、一九三五年までは、美濃部達吉の天皇機関説が学界の定説でした。

天皇という個人はあくまで法人の人格的表象であり、個人の私念に基づいて統治行為を行うわけではないからです。ですから、たしかに帝国憲法を民主的なものとして運用することは理論的には可能だった。立憲君主政のイギリスでは、国王には議会で決めた法律案を拒む権利が賦与されていますが、その権利は二百年以上行使されたことがありません。ここでは王政が民主的に運営されていると言うことができます。

軍部が突出した「魔の季節」

憲法をどう読み、どう運用するかは、憲法内部的には一意的には決まりません。決めるのはその時々の歴史的状況です。そのときに政治にかかわっていた生身の人間たちです。そして、実際に、生身の軍人たちによって「天皇は陸海軍を統帥す」という第一一条の「統帥権」がそのような解釈をされるとは制定時点では予測されていなかった解釈によって濫用されることになった。

陸海軍を議会・内閣から独立した天皇直属の機関としたのは、リスクヘッジのための配慮によるものでした。軍がある特定の政治勢力に頤使《いし》されたり、その私兵となる事態を避けようとして、軍を名目上天皇直属としたのです。ところが、予想外なことに、逆に軍が議会内閣の上位に立つ政治装置に化けてしまった。統帥権の名において、内閣にも諮《はか》らず、国民の意志とも無関係に、軍の組織・人事、予算編成、産業統制、言論・思想統制までをも軍が専管するようになった。

昭和に入ってから連発した十月事件、三月事件、血盟団事件、五・一五事件、二・二六事件に至る一連のテロによって、日本のデモクラシーはその命脈を断たれました。その帰結が満州事変から太平洋戦争に続く十五年の戦争と壊滅的な敗北でした。

帝国憲法を民主主義的に解釈し、弾力的に運用して、日本固有のデモクラシーを創り上げようと努力した先人たちはたしかにいたのです。しかし、昭和に入ってから敗戦までの二十年間は、そういう組織的努力は治安維持法下で、暴力的に弾圧されて、ほぼ壊滅してしまった。

つまり、見方によれば、大日本帝国は民主的に運営される可能性もあったが、軍部の突出によってその可能性を失った。そして敗戦によって民主的に運営される国に生まれ変わった……と近代を三期に分けることが可能になります。これが司馬遼太郎のいわゆる「司馬史観」です。近代日本を三分割して、明治維新から大正の終わりまでを第一期、昭和のはじめから敗戦までを第二期、戦後を第三期と区切って、敗戦までの二十年を「異胎」「魔の季節」としてよりのける。そして、その前後を「デモクラシーを志向していたこと」を共通項にしてつなぐのです。ある時期の日本を「あれは日本ではない」と言って、取り除いてしまうのですから、歴史観としてはずいぶん恣意的な気がしますけれど、司馬史観は実に多くの日本人によって支持されました。

昭和ヒトケタから同二十年の敗戦までの十数年は、ながい日本史のなかでもとくに非連続の時代だったということである。(…)

——あんな時代は日本ではない。

と、理不尽なことを、灰皿でも叩《たた》きつけるようにして叫びたい衝動が私にある。日本史のいかなる時代ともちがうのである。

さきに〝異胎の時代〟ということばをつかった。

その二十年をのけて、たとえば、兼好法師や宗祇《そうぎ》が生きた時代とこんにちとは、十分に日本史的な連続性がある。また芭蕉や荻生徂徠が生きた江戸中期とこんにちとは文化意識の点でつなぐことができる。(司馬遼太郎、『この国のかたち』、文春文庫、一九九三年、四七 - 八頁)

この二十年を歴史から切除すれば、日本文化の連続性は回復できるという司馬遼太郎の歴史観は学術的にどれほど適切であるか、僕にはわかりませんが、司馬のこの見方に共感した人が戦中派に多かったことはたしかです。現に、僕が知る戦中派の人たち——親たちや教師たち——は彼らの戦争経験と植民地経験については、その多くを「なかったこと」にして記憶の奥底に封印していました。

僕はその心情のうちには掬《きく》すべきものがあると思います。そして、たしかにこれから先日本の固有のデモクラシーというものを僕たちが建設しなければならないのだとしたら、それは大正末年で途絶してしまった日本のデモクラシーに「つなぐ」という司馬遼太郎のアイディア以外に有効なものを僕は思いつかないのです。

大日本帝国と戦後日本を「つなぐ」もの

一九四八年に、憲法が施行されて間もなく、文部省が「民主主義の教科書」を編んだことがありました。これは副読本として、五三年まで中学高校で用いられました。民主主義とは何かをていねいに論じた、実によくできたテキストです。副読本というから、薄いパンフレットのようなものを想像していましたが、上下二巻の大著で、今も文庫版で出ていますが四〇〇頁以上あります。中高生向けと言いつつ、ほとんど学術書です。

一読して僕が驚いたのは、これが直近の軍国主義を近代日本が進むべきだった道筋からの「逸脱」ととらえていたことでした。そして、それを「のけて」、明治初期の福沢諭吉や中江兆民のひろびろとした開明的な民主主義思想と、これから始まろうとしている戦後民主主義を直接につなげようとしていたのです。そうすることによって、戦後日本を大日本帝国の民主主義的な部分の選択的な後継者として承認するというのが『民主主義』の執筆戦略でした。これは司馬遼太郎の「魔の時代」を「のけて」という発想にかなり近いものだったと思います。

つまりこういうことです。大日本帝国の統治制度のうちにも、十分に民主的な要素はあった。それを適切に運用していれば、大日本帝国は民主的な立憲君主国であり続けたはずである。それが統帥権の濫用という運用上の逸脱によって、非民主的な軍国主義国家に道を踏み外してしまった。だから、日本国憲法下の戦後日本は大日本帝国がほんとうはそうなるはずであった国のかたちであるという弁疏《べんそ》がなされたのです。

これはかなりトリッキーな論の立て方だと思いますが、たしかに「國體《こくたい》の護持《ごじ》」と「日本国憲法の受容」という恐ろしく食い合わせの悪いものを両立させるためには、考えてみたらこういう図式しかなかったのです。

実際には、「國體の護持」派は以後七十五年間今に至るまで、ひたすら日本国憲法を否定し続けてきましたし、「日本国憲法」護持派は大日本帝国のうちにも民主的な要素が萌芽的には存在したのだというような議論は歯牙《しが》にもかけませんでした。僕たちはずっとそういう改憲・護憲派のおとしどころのない対立を見慣れてきたわけですけれども、少なくとも、敗戦直後には、そこまで話は単純ではなかった。そのことが『民主主義』を読むとわかります。

大日本帝国は法制上は民主的に運用することができる政体であった（現実はそうなりませんでしたけれど、法制上はそうであることが可能だった）。だから、日本国憲法はこの逸脱から本来の軌道に戻って、「民主的に運用された大日本帝国」によって公布されえたのである、というのが憲法制定時点で多くの知識人たちがすがりついた「物語」でした。

僕は日本国憲法公布の四年後に生まれました。戦後日本はよろよろとした足取りではありましたけれど、すでに政体として生き始めていた。もう大日本帝国を懐かしむような人は僕の周りにはいませんでした。でも、憲法公布の前後には、大日本帝国と戦後日本の間に連続性があることを証明することが喫緊の国民的課題だと思っていた人たちがいたのです。『民主主義』はそういう人たちによって書かれたものです。

彼らは日本国憲法が大日本帝国憲法七三条に則って、適法的に「改正」されたものであるという「物語」を採用しました。

たしかに、日本国憲法草案は、勅命によって、帝国憲法下の制度である政府が起草し、枢密院で審議され、帝国議会で承認され、天皇の裁可を経て公布されました。法制上はそういう話になっている。ですから、日本国憲法には、これが帝国憲法の枠組みの中での適法的な改憲であることを述べる「上諭《じょうゆ》」という文章が先行しています。憲法の「出生証明書」のようなものですが、今の日本国憲法には付いていません。こういう文章です。

朕《ちん》は、日本國民の總意《そうい》に基いて、新日本建設の礎《いしずえ》が、定まるに至つたことを、深くよろこび、樞密《すうみつ》顧問の諮《し》詢《じゅん》及び帝國憲法第七十三條による帝國議會の議決を經た帝國憲法の改正を裁可し、ここにこれを公布せしめる。

この「上諭」は天皇が「日本国民の総意」を承けて政治的行為を行う「機関」であることを

確認した上で、大日本帝国の法制度内部から日本国憲法がその正嫡子として「生まれた」という「物語」を語っています。もちろん、これは嘘です。公布前日の一九四六年の十一月二日まで日本人は全員が「帝国臣民」だったからです。

憲法前文には「日本国民は……ここに主権が国民に存することを宣言し、この憲法を確定する」とありますが、日本国憲法を考案し、起草し、条文の是非について論じることができるような「日本国民」は法制上も事実上も日本国内には存在しませんでした。それは日本人全員が知っていたことです。

憲法起草を主導したのは誰か、GHQか、日本政府か、日本政府の主張はどの程度草案に反映されたのか、そんなことは交渉に当たった一握りの人以外、誰も知りませんでした。でも、日本人全員にとって一つだけたしかなことがあった。それは「ここでいう『日本国民』というのは私のことではない」ということです。

にもかかわらず、日本国憲法は「日本国民の総意」に基づいて制定されたものであるということになった。これにただ一人抵抗したのが当時枢密顧問官だった美濃部達吉でした。美濃部もまた戦前から戦後にいたる「国としての一貫性」を保つことが必要であると考えていました。でも、それは大日本帝国の法制度から「上諭」一本で日本国が「ぽん」と生まれてきました、めでたしめでたしというような単純な物語では説明できないと考えた。どう見ても、大日本帝国と日本国の間には断絶がある。どう言い繕っても、法制度上の一貫性はない。『民主主義』の執筆者たちは「大日本帝国にも民主的なものの萌芽はあった」というエクスキューズによってこの連続性を担保しようとしました。そのことは先に述べました。美濃部はそれとは違うロジックによってやはりこの連続性を支えようとした。この二つの政体の間には断絶があり、一貫性がない。けれども、その事実を明晰かつ論理的に指摘し得る主体、二つの政体をつねに冷静に俯瞰していた主体が存在するならば、その主体の揺るぎなく一貫する批評的視点は架橋者としての役割を担い得るのではないか、美濃部はそんなふうに考えたのではないかと思います。

一九三四年以降の國體明徴運動の過程で、美濃部の天皇機関説は異端の学説として退けられ、美濃部自身は銃撃テロに遭い、不敬罪に問われ、著書は発禁処分、貴族院議員の議席を辞さなければならないという不遇の時代を過ごしました。ですから、戦後、GHQの進める民主化プロセスを歓迎しただろうと僕たちはつい思ってしまいますが、そうではないのです。枢密顧問官として憲法草案の審議にかかわったとき、美濃部は新憲法の法的有効性に対してただ一人疑念を呈し、これに反対します。

その理由は、（1）帝国憲法はポツダム宣言受諾時点で無効となっているので、帝国憲法七三条の改憲規定に基づいて改憲はできない。（2）新憲法の趣旨に添わないので廃止される枢密院が新憲法の当否を論じるというのは不合理である。（3）「日本国民が制定する」憲法が勅命により、天皇の裁可で公布されるのは「虚偽の声明」に当たる。という、まことにべもないものでした。

美濃部の戦略は、枢密院という帝国憲法内部的な組織が、いわば「脱法的」に日本国憲法を諮詢《しじゅん》したという事実をここに明記して、憲法制定過程の実相を確定することでした。大日本帝国から日本国への政体の転換はなめらかに、合法的に行われたのではなく、そこには決定的な断絶があった。断絶があったという事実を認めないかぎり、その断絶は架橋されることができない。ですから、美濃部はこれは「暫定的な憲法」であり、そうである以上、次のような条文から始まるべきだと考えていたからです。

「第一条　日本帝国ハ連合国ノ指揮ヲ受ケテ　天皇之ヲ統治ス」

もし大日本帝国憲法から戦後の憲法への適法的な移行があり得るとすれば、ここに乗り越えられない断絶があるという冷厳な事実を踏まえていなければならない。美濃部はそう考えたのでした。美濃部の趣意を加藤典洋はこう説明しています。

美濃部は、少なくともここでは、国の基礎である憲法を欺瞞の具にだけはしてはならないという立場に立っている。その意味は、不如意があれば不如意が、ねじれがあればねじれがそのまま映る歪みのない鏡で、憲法はあらねばならない、ということである。

憲法の「ねじれ」を直視するとは何か、それが、この美濃部の対応にいかんなく示されている。

われわれは戦争に負けた。その負けいくさの国に、負けた現状のまま憲法が必要だとしたら、第一条はこうなる。負けた人間が、負けたという事実を自分に隠蔽したらしまいだ。美濃部はきわめて簡潔な態度を、ここに示しているというべきなのである。（加藤典洋、『敗戦後論』、ちくま文庫、二〇〇五年、三四頁）

『民主主義』の執筆者たちのように日本国憲法は大日本帝国憲法の嫡出子であるという「物語」を選んだ人たちも、美濃部達吉のようにその擬制を否定した人も、等しくどうやって断絶してしまった大日本帝国と日本国を「つなぐ」ことができるのかという困難な問いに誠実に立ち向かっていました。それぞれ手際に巧拙の差はあったかもしれませんが、僕はこれら先人の「悪戦」を多とします。

民主主義は制度ではなく、心？

その中でも『民主主義』の執筆者の企てた「架橋」戦略は独特のものでした。それは制度的な連続性を言い立てることが無理であるなら、それ以外のものによって大日本帝国と日本国をつなぐという道でした。彼らが選んだのは「心」というかたちの定まらないものでした。

では、民主主義とはいったいなんだろう。多くの人々は、民主主義というのは政治のやり方であって、自分たちを代表して政治をする人をみんなで選挙することだと答えるであろう。それも、民主主義の一つの表われであるには相違ない。しかし、民主主義を単なる政治のやり方だと思うのは、まちがいである。民主主義の根本は、もっと深いところにある。それは、みんなの心の中にある。（文部省、『民主主義』、角川ソフィア文庫、二〇一八年、三頁）

うっかりすると読み飛ばしてしまいそうな文言ですけれども、この宣言から実はこの本は書き始められているのです。民主主義は制度ではない、それは心だというのが、『民主主義』の基幹的な主張でした。

もし民主主義が制度ではなく、心に宿るものであるなら、統治機構が外形的にはどれほど非民主的であっても、「心においては民主主義である」と主張すれば、それは民主制だったと言うことができる。

民主主義の本質は、常に変わることのない根本精神なのである。したがって、民主主義の本質について、中心的な問題となるのは、その外形がどの種類かということではなくて、そこにどの程度の精神が含まれているかということなのである。（同書、二〇頁）

たぶん現代の読者はこの文を「ただの精神論」だと思って、さしたる注意も振り向けずに読み飛ばしてしまうと思いますけれど、僕はここに一九四八年時点での日本人の悲鳴のようなものが聴き取れるような気がするのです。大日本帝国は制度的には十分に民主主義的ではなかったけれども、そこにも民主主義の「根本精神」は存在した。だから、大日本帝国と日本国の間には民主主義という心の連続性がある。そうすることによって消えた帝国の威信を救済し、あわせて戦後日本を祝福するという、そういうアクロバット的なことを『民主主義』の執筆者たちは企てたのでした。

この人たちの気持ちも、美濃部達吉の気持ちも、僕たちにはもうそれほどのリアリティをもっては迫ってきません。戦前の日本と戦後の日本を「つなぐ」という仕事に僕たちはもうさしたる思想的な緊急性を感じないからです。もちろん大日本帝国を賛美し、「大東亜戦争は正しかった」というようなことを主張する人たちはいますけれど、彼らは戦後日本のありようを全否定して、「戦前に戻せ」と言っているわけですから、「架橋」する気なんかありません。

もう今の日本には、「帝国臣民」として生きた時間にまだ何らかのリアリティを感じているという人はほぼいなくなりました。でも、この世代にとっては、戦前に残した半身と戦後を生きている半身を縫合することは実存的に必須の仕事でした。

僕たちは自分が子ども時代を過ごした国が消滅して、ある日新しい国になったということが国民にどのようなアイデンティティー・クライシスをもたらすのか、よくわからない。その「切り替え」はそんなに簡単ではなかっただろうと想像するだけです。

前にも書いたことがありますが、東京南西部の工場街にあった内田家では正月には必ず国旗を掲揚していました。町内の家はどこもそうでした。けれども、一九五〇年代の終わりくらいから、申し合わせたわけでもないのに、「旗日」に国旗を揚げる家が目に見えて減りました。僕は小学校低学年でしたけれど、その変化に気づきました。別に「国旗を掲揚するのは止めよう」というようなキャンペーンが行われたわけではありません。なんとなく「もう、いいか」という感じになった。後から思うと、一九五八年は「大日本帝国の十三回忌」だったのです。消えた帝国への供養はもう済んだだろう、と。おそらく多くの日本人が無言のうちにそう感じた。政体の「切り替え」という事実を受け入れるのにそれくらいの時間がかかった。

『民主主義』の配布は一九五三年で終わりました。朝鮮戦争以後加速する「逆コース」で教育の国家管理が始まったのと軌を一にしています。おそらくその頃には「戦前日本にもあった民主主義の心を戦後日本につなげる」というアイディアそのものに当の日本人自身が興味を失ってしまったのでしょう。

戦前の日本帝国主義を懐かしみ、再評価する人たちがこの時期から大挙して登場してきますけれど、彼らはもちろん戦前の日本にも民主主義的な心があったから再評価しているのではありません。彼らは戦前の日本が非民主的だったことを称揚したのです。

左派はもともと「戦前の日本にも民主主義的な心があった」というような物語は受け付けません。彼らや彼らの仲間を弾圧し、投獄し、拷問し、刑死させた体制のうちに何であれ「よきもの」を見出す努力を彼らが拒むのは当然です。

そうなると、戦前の日本と戦後の日本をなんとかして架橋しようとする人たちにはもう居場所がない。そうして、『民主主義』派や美濃部達吉のような、政治思想としては豊穣な可能性をはらんでいた「架橋」というアイディアはその担い手を失ってしまった。

僕はそれから半世紀ほどしてから、『昭和のエートス』という書物にそのことを書きました。吉本隆明や江藤淳や伊丹十三の仕事を「架橋」という視点でとらえなおすことができるのではないかというアイディアをそこで提出しました。あまり大きな反響は得られませんでしたが、それでも僕は、戦中派が企てて、そのあとを引き継ぐ人がほとんどいなくなったこの「架橋」というアイディアを次代にまで「パス」して、「かつてこういう考え方をした人がいたんだよ」と伝えることを僕の個人的なミッションだと思っています。

大正デモクラシーの「空気」

最後に「架橋」についての個人的な経験を一つ報告しておきたいと思います。それは「大正デモクラシー」というものの「空気」に触れた経験です。

大正デモクラシーということは言葉としては知っていましたが、それがどういうものか手触りが僕にはわからなかった。もちろん歴史書には、大正期に興った議会政治と自由主義的な大衆運動によって普通選挙制度が実現したことが大正デモクラシーの成果だとされています。吉野作造や新渡戸《にとべ》稲造の結成した黎明《れいめい》会、東大新人会の運動もその思潮を代表する団体として挙げられています。でも、言葉として知っているだけで、それがどういうものか実感がわからない。

前にも書きましたけれど、数年前に、一九会という禊《みそぎ》の修業団体に参加することになりました。これは大正九年に東大の学生たちが作った修養組織です。

当時一高、東大の学生たちは臨済宗の平林禅寺で参禅をしていました。堂守をしていた山岡鐵舟《てつしゆう》最後の弟子小倉鉄樹《てつじゆ》先生がただ座っているだけでは面白くないだろう、と彼らを禊教の道場に誘います。これは「吐菩加美依身多女《とほかみえみため》」という祝詞を裂帛《れつぱく》の気合で繰り返し唱え続ける行で、小倉先生はこれは青年を鍛練するきわめて有効な方法だ思われたのです。

帝大工学部の一学生が小倉先生の勧めで禊教の道場に通い始めたのが大正七年のことです。彼はこの行が気に入り、工学部のボート仲間たちを次々と禊に誘いました。そして、学内対抗レースで彼らのクルーが優勝した。以来、「禊をするとボートが強くなる」という話になって、各大学のアスリートが相次いで修業するようになった。そして、集まった学生たちが自分たちだけでお金を出し合って、中野に土地を買い、道場を建て、小倉先生をお呼びして修業に励むことになったのが大正九年。それから百年が経ちました。

一九会に入会するためには「初学修行」という三日にわたる激しい行を成就しなければいけ

ないのですが、会員になって、一九会がどういうふうに組織運営されているのかを知って、驚きました。それはこの前近代的な行を行う組織がまことに民主的なものだったからです。

僕たちは、戦前の日本の社会組織というとまず陸軍内務班を想起します。徹底的な上意下達で、一挙手一投足ことごとく上官の指示に従う。自分の裁量でことを行うことは許されない。それが「戦前の日本の組織」だと僕は思っていました。戦後日本でも体育会系クラブの組織は相変わらず軍隊を模しています。

だから、一九会も修養団体である以上当然「軍隊みたいなもの」だろうと思っていました。実際に初学修行では、襟首をつかまれたり、髪の毛をつかまれたりということがあるわけですから。しかし、入会したあとに、道場に行って驚いたのは、そこでは誰も命令も叱責も要求しないということでした。朝食を終えると道場長以下ひとりひとり立って台所で食器を洗い、拭いて、棚にしまう。掃除をするときも誰も「さあ、掃除をしよう」などと言わない。黙って立ち上がって箒《ほうき》を取り、雑巾で廊下を拭く。新参の人間が指示を待ってぼおっとしているうちに掃除が終わってしまう。誰も指示をしないし、叱責もしない。僕は会員になってしばらくは道場の規則を知らず、いくつか小さな禁止事項を犯して、注意を受けましたが、それはつねに人目のないときを見計らって、小さな声で行われました。大声で命令するとか、怒鳴るとか、人前で叱りつけるとかいうことを僕は見たことがありません。

decencyという言葉があります。「良識にかなっていること、品位、礼儀正しさ、親切」という意味ですが、遂行的には「決して他人に不快感や屈辱感を与えないふるまい」ということです。一九会で知ったのは、ここの基本ルールが「decencyを守る」ということだということです。

一九会は大正九年から修業の仕方、組織運営がまったく変わっていないと聞いています。ということは、今の一九会は、大正時代の東京帝国大学生たちが自主的に運営していたときのルールをそのまま伝えているということです。僕はここではじめて「大正デモクラシーのエートス」とでもいうべきものに触れた気がしました。

この激しい行を行う組織が上意下達ではなく、会員ひとりひとりの自主性に委ねる仕方で運営できるのは、根本に強烈なエリート意識があるからだと思います。他人に命令されないと何をしてよいかわからない人間はここにはいないということが前提になっている。

新渡戸の「武士道的プラグマティズム」の骨法

おそらくこれは戦前の旧制高校や大学における学生組織の多くに共通する特徴だったのではないかと思います。他人から命令されなくとも、マニュアルやガイドラインをそのつど参照しなくとも、ある場面において自分が何をなすべきなのかを適切に判断できる人間であること、それがエリートの条件とされた。現代日本のエリート教育とはまったく向かっている方向が逆ですけれど、それはこの時代の日本がほんとうに「そういう人間」を求めていたからだと思います。上司の指示を待つだけで、網羅的なジョブ・デスクリプションが与えられないと、自分が次に何をしていいかわからないような人間なんか育てても、大戦間期の日本ではこれから起こるはずの世界的な動乱に間に合うはずがなかったからです。

だから、小倉鉄樹先生が若者の育成を大戦間期における国家的急務だと認識したときに、それを承けた学生たちは、山岡鐵舟直伝の武士道的エートスと旧制高校的自律を結合させた組織を立ち上げた。武士道精神とエリートの自律のアマルガムとして旧制高校的なデモクラシーは生まれた。でも、考えてみたら当然なのです。学生たちの自律に委ねたら、どこまで暴走するかわからない。内面から抑制することのできる有効なモラルが要る。そして、その当時、それに当たるものは武士道しかなかった。

新渡戸稲造がどうして『武士道』を書いたのか、それは新渡戸自身が同書の冒頭に記しています。ベルギーで法学の大家と歓談していたおりに、「あなたのお国の学校には宗教教育はない、とおっしゃるのですか」と問われた新渡戸は「ありません」と答えました。「宗教なし！どうして道徳教育を授けるのですか」と重ねて問われて新渡戸は絶句します。

当時この質問は私をまごつかせた。私はこれに即答できなかった。というのは、私が少年時代に学んだ道徳の教えは学校で教えられたのではなかったから。私は、私の正邪善悪の観念を形成している各種の要素の分析を始めてから、これらの観念を私の鼻腔《びこう》に吹きこんだものは武士道であることをようやく見いだしたのである。(新渡戸稲造、『武士道』、矢内原忠雄訳、岩波文庫、一九七四年、一一頁)

新渡戸は一九〇六年から八年間第一高等学校の校長を務めました。そのとき彼を悩ましたのは学生たちの排他性とエリート主義的な高慢でした。新渡戸はおそらくそこでも武士道をもって学生たちの自重を求めたのだろうと思います。『武士道』は新渡戸が一高校長に就任するより前の著作ですが、そこにある学校での経験が書かれています。

学生たちが一教授に不満を持ち、免職を求めてストライキを打ったことがありました。校長は学生にこう告げます。「諸君の教授は価値ある人物であるか。もししからば、諸君は彼を尊敬して学校に留むべきである。彼は弱き人物であるか。もししからば、倒るる者を突くは男らしくない」(同書、一三九頁)それを聞いて、学生たちは何も言わず解散した。

変と言えば、ずいぶん変な話です。学生たちは教授の教育者としての資質を問題にしたのに、校長は問題を武士道的倫理にすり替えたんですから。しかし、「それでも君たちは武士か」の一喝によってある種の日本人は合理的思考を停止する。新渡戸はその心理機制についてこう書いています。

武士道の感化は今日なお深く根差して強きものがあるが、しかしそれはすでに私の述べたるごとく、無意識

> 的かつ沈黙の感化である。国民の心はその自ら継承しきたれる観念に対し訴えらるるところあれば、理由の何たるやを知らずして、これに応答する。それ故同一なる道徳観念にても、新しき訳語によって表現せられし場合と、旧《ふる》き武士道の用語によって表現せられし場合とにおいて、その効力に莫大なる差異がある。（同書、一三八–九頁、強調は内田）

ストライキの学生たちもまた「理由の何たるやを知らずして、これに応答」したのでした。「それでも君たちは武士か」と一喝すればその理非にかかわらず多くの利己的主張は撤回される。これは理屈抜きの新渡戸の経験知でした。そして、学生たちの自律が暴走するのを制する道具としては、新渡戸の手元にはそれしか使えるものがなかった。ならば、それを使う。このあたりが新渡戸の「武士道的プラグマティズム」の骨法です。

この時代の日本において、自律的に思考し、自主的に行動し得る学生を育成することは国家的急務でした。しかし、気前のよい権限委譲を受けた学生たちはややもすると過剰に秩序紊乱《びんらん》的・反権威主義的になる傾向がある。これを抑制するためには、どうにかして、彼らの decency に訴える必要がありました。そして、明治末年から大正にかけて、青年たちに decent なふるまいを選ばせる有効な倫理的規範として日本人の手元には武士道しかなかったのです。

一九会の設立は新渡戸が第一高校の校長を辞した七年後です。ですから、一高時代に新渡戸の薫陶《くんとう》を受けた学生が創立時の会員にはまだ少なからずいたはずです。彼らがこの独特のアトモスフィアをかたちづくった。それがまるで冷凍保存されたように、奇跡的に百年間維持された。おそらくここ以外に、新渡戸稲造と山岡鐵舟の「息吹き」が身体化したまま残っているような場所は地上には存在しないだろうと思います。

さきほど僕は戦前と戦後を「架橋」させることが日本の民主主義を成熟させるためには必須であると書きました。架橋するための学説や理論は存在しません。氷炭相容れざるものを架橋することは生身の身体にしかできない。理論的には両立し難いものであっても、生身の身体においては共存し得る。ですから、『民主主義』の執筆者たちとはアプローチが違いますけれど、僕は大正デモクラシーというもののうちには、まだ僕たちが汲み尽くしていない、豊かな思想的水脈が残されているのではないかと思います。

大正デモクラシーは日本人が自前で創り上げた「国産」のデモクラシーでした。でも、これは短命のものに終わってしまった。それは先ほど書いた通り、大正デモクラシーの体現者が少数のエリートたちだったからです。その当時、旧制高校への進学率は一パーセントです。同学年の一〇〇人に一人です。たしかに彼らには気前のよい権限委譲が許され、それゆえ与えられた権限を内面から制御する装置としての武士道が「鼻腔から」吹き込まれもした。でも、それ以外の九九パーセントには、そのような教育的配慮はなされなかった。旧制高校から帝大に進学したこの一握りの若者たちには特権が与えられた。それは「葛藤する」という特権です。エリートたちは、自律と自制、土着の倫理である「旧い武士道」と外来の政治思想であるデモクラシーという相反するモメントを一身のうちに抱え込んで、葛藤することを求められた。特権とはそのことです。葛藤が人を成長させる。彼らは成長する特権を享受した。その意味で、旧制高校というのは、日本の近代教育史上ではもっとも成功した教育制度だと思います。

民主主義の正しさの保証人を民主主義に求める

私事になりますけれど、僕は都立日比谷高校（旧制一中）から東京大学教養学部（旧制一高）を経て東京大学（旧東京帝大）という大正時代から昭和のはじめにかけての「エリート校」を経由した経験を持っています。そこには一九六〇年代末まではたしかに戦前のエリート教育の「残存臭気」のようなものが漂っていました。しかし、生徒学生への気前のよい権限委譲の美風はまだ残っていましたけれど、生徒学生の側には託された権限を自制するための内面的な「倫理」はもうありませんでした。僕たちの秩序紊乱的暴走に対して、新渡戸の時代だったら「君たちはそれでも武士か」と一喝して、冷水を浴びせることができたかもしれませんが、戦後の日本には、もうそういうキラーワードが存在しなかった。僕たちの時代に使われた「鶴の一声」は「それは民主主義的ではない」というものでした。今の若い人が聞いたらびっくりするでしょうけれども、日本も一九七〇年代までは、「それは民主主義的ではない」が「理由の何たるかを知らず」、とりあえず人をして一瞬たじろがせるだけのインパクトを持つ言葉だったのです（残念ながら「一瞬」だけでしたが）。

それは「民主主義的でない」というのは「非倫理的である」という宣告に等しいというゆるい社会的合意があったからです。でも、「ちょっと待ってくれ。いったい、どういうふるまいが民主主義的であり、どういうふるまいが非民主主義的なのか、その線引きをはっきりさせてもらおう。そもそも民主主義的であることによってこの世にいかなる『よきこと』が実現するのか？」と反問されると、「民主派」はたじろいだ。とりあえず「少数意見にも配慮して、最終的には多数決で決める」といった外形的手続きのたいせつさをぼそぼそ呟くくらいのことしかできなかった。

六〇年代末から七〇年代はじめにかけての全国学園紛争の過程で、「民主主義」はキラーワードとしての寿命をほぼ終えました。「そんなの民主主義的じゃない」と言われても、「うるせえ」と一喝したら話が終わるようになった。手続き上民主的であることが、そこで採択された決議の正しさを保証するものではないということをみんな知ってしまったからです。ある命題が正しいかどうかは、未来において、事後的に「あのとき、ああしておいてよかったのだ」と回顧されたときにはじめてわかる。それまでは、すべての政治的主張の正否判断はペンディングされ、すべては等しく正しくないものとして扱われるという政治的虚無主義はその時代に始まったものです。

過激派諸派の学生たちだって、自分たちの政治的主張だけがひとり正しいとは別に思っていなかった。でも、どこかの党派がひとりで「正しさ」を独占することは絶対に許さないという点においては全党派が一致していた。そういう「潰し合い」のうちに新左翼の運動は息絶えました。その後に「あんなことはすべきではなかった」という悔悟の言葉を僕は聞いた覚えがありません。たぶん「あれでよかった」とみんな思っていたからでしょう。

事実、その政治的虚無主義はそのあとにポストモダンの思潮に流れ込みました。人々は「直線的な物語としての歴史」や「超越的なメタな物語」をぽいぽいと歴史のゴミ箱に放り込みました。そして、今や人々はこんなふうに考えるようになった。(1)人間の行うすべての認識には階級や性差や人種や宗教のバイアスがかかっている。(2)すべての認識が自民族中心主義的臆断《おくだん》である以上、「私は客観的事実を見ている」と称する資格は誰にもない。(3)ゆえに、万人は客観的事実のことなど気にかけずに、自分の気に入った自民族中心主義的妄想のうちに安らいでいればよろしい。

「あらゆる認識には主観的なバイアスがかかっている」というのは学術的命題としてはその通りです。でも、それだからといって「すべての認識は等しく民族誌的偏見である」というのは言いすぎです。主観的バイアスがかかっていても、比較的「まとも」な認識と、病的妄想にドライブされた認識では「程度の差」というものがあります。「だから、自分の好きなように世界を見ていればいいじゃないか」というのは、二十一世紀になって、「ポスト・トゥルース」

の時代に登場してきた新しい考え方です。こういう考え方を僕は「反知性主義」と呼んでいます。知性には汎通性がない。知性にはことの理非や善悪を判定する力がないという考えのことですから、「反知性主義」と呼ぶしかない。

二〇一七年一月のトランプ大統領の就任式に集まった人々の数は空撮写真で比較すると明らかにオバマ大統領就任式のときのほうが多いのに、トランプの報道官は「過去最大の人々が就任式に集まった」と嘘をつきました。それを報道番組で咎められたときに、大統領顧問のケリーアン・コンウェイがそれは「代替的事実（the alternative facts）」であると答えて、大騒ぎになったのはご記憶かと思います。以来、「嘘をつけ」と言われたら、「私はあなたがたが見ている事実とは違う『もう一つの事実』を見ているのである」と言い逃れをすることが流行するようになりました。

日本でもそうですね。何か失言をすると「誤解を招いたとすれば遺憾である」と言い訳をするようになった。私の述べたことをあなたは「誤解」した。あなたは「私が見ているものとは違うもの」を見て、私を批判したのである。事実は一つではない。「あなたが見ている事実」があり、「私が見ている事実」がある。人生いろいろ。私だって「私が見ている事実」が唯一の事実であるとは言わない。だから、あなたも「自分が見ている事実」が唯一の事実であると言うのを止めなさい。これがポスト・トゥルースの時代における支配的な考え方です。

八〇年代から歴史修正主義や排外主義的イデオロギーが簇生《そうせい》してきたのは、別に人類が集団的に愚鈍になったからではありません。一応きちんとこのような思想史的変遷のプロセスをたどってきているのです。

いったいどこに最初の「ボタンの掛け違え」があったのでしょうか？　ミチコ・カクタニのように、ポストモダン思想の劣化であると説明をする人もいますが、僕は日本にかぎって言えば、「民主主義の政治的正しさの保証人を民主主義に求める」という循環参照に陥ったことが一因だと思います。「私が正義の味方であることを私が保証する」と言っても始まらない。いや、戦後しばらくはそれで通ったのです。民主主義は日本の制度であるけれども、それを日本人に与えて、機能しているかどうかを査定しているのは占領軍という超法規的な暴力装置だったからです。だから「そんなの民主主義的じゃない」というのは「それは占領軍が定めたルールに違背することである」という意味だった。だったら、逆らうことはできない。それに逆らうことは具体的な処罰を意味していたからです。だから、「それは民主主義的ではない」という宣告は「効いた」。その処罰を恐れる感覚は占領軍が立ち去って数年はそのまま残っていました。そして、しだいに希薄になって、僕たちが大学生になった頃にはもうほとんど消え去った。

政治的虚無主義に取り憑かれた七〇年代

若い人はご存じないでしょうけれど、戦後日本では「武道」が禁止されていた時期がありました。

一九四五年、ＧＨＱは「超国家主義および軍国主義の鼓吹に利用され、軍事訓練の一部として重んぜられた」との理由により、学校体育で剣道を教授することを禁止しました。翌四六年には大日本武徳会が解散させられ、同時に、社会体育における「武道」という名称の使用そのものが禁じられました。

そのときに、剣道家たちは、苦肉の策として、剣道をフェンシングに似せてスポーツ化した「しない競技」というものを発明しました。そして、これは武道ではないと強弁したのです。これは「過去の剣道の弊害を除去し、本格的なスポーツとして、競技規則、審判規則をつくり、民主的な運営を図」ったものである、と。

「しない競技」は六〇年代なかば、僕が中学生だった時点ではまだ体育の教科書に掲載されていました。僕は中学の剣道部員だったので、教科書に載っている「しない競技」という「どこにも存在しないスポーツ」のルールや技法を試験のために暗記しなければならないことをひどく不条理だと思いました。「しない競技」が体育の教科書からいつ消えたのか、僕は知りません。でも、誰も気がつかないうちにこっそりと抹消された。当時の文部省が「あれは占領軍を欺くための方便であって、武道は日本の伝統であり、スポーツではない。日本文化をなめるんじゃないぜ」と尻をまくって公言したのであればよかったのですが、もちろん文部省はそんなことをしませんでした。少なくとも六〇年代なかばまでは、役人たちも、占領軍が日本人に命じた「民主的な制度」を廃絶することにはそれなりにナーバスだったのです。

民主主義の空洞化・無化はだからそれほどストレートに進行したわけではありません。「それは民主主義的じゃない」という批判は（だんだん衰弱しながらも）七〇年代までは一定の倫理的な力を持ちえました。でも、ベトナム戦争の後方支援基地をしているうちに、アメリカはもう日本が民主的であるかどうかに特段の関心を持っていないということが日本人にもわかってきた。アメリカは東アジアの非民主的国家の独裁者たちと同盟してベトナムを攻撃していた。日本に民主主義を与えたアメリカ自身が各国の非民主的独裁者を後押しして、国民たちの民主化運動を暴力的に弾圧していた。その様子を見ているうちに、たぶん日本人はばかばかしくなってきたのだと思います。たしかに民主主義という制度は日本には存在しているけれど、その制度の政治的正しさを担保するものはもうどこにも存在しない、と。

第二次世界大戦が終わった後に、ウィンストン・チャーチルは下院の演説において民主主義についてこう述べたことがあります。

この罪と悲しみの世界では、これまでに多くの政治体制が試みられてきたし、これからも試みられてゆくであろう。民主主義が完全で全能のものだという人はいない。事実、民主主義は最悪の統治制度だとこれまで言われてきた。これまで試みられてきたすべての統治制度を除けばだが。

広く人口に膾炙《かいしゃ》したフレーズですが、この言葉を引用する人たちはどなたも「民主主義は最悪の制度だ」という点だけに注目するようです。民主主義もそれ以外の政治体制もどれも「ろくでもない制度」なのだが、たまたま今は民主主義制度であり、これに替えるべき制度が手元にないので、しかたなく継続しているのだ、と。どの制度もどうせ等しく正しくないのだが、手元には民主主義しかないので、いやいや民主主義をやっているが、それが理想的な制度だと主張する気はないし、他国に押し付ける気もない。まあ、みんなせいぜい自分好みの「ろくでもない制度」の下で暮らせばいいさ。オレに干渉すんなよ……。たぶん、そういうふうに冷笑的にチャーチルの言葉を解釈している人が多いと思います。でも、申し訳ないけれど、これはまさに典型的に「ポスト・トゥルース」時代特有の反知性主義的発想です。

僕はそういう解釈を採りません。先ほど僕は七〇年代に民主主義が政治的な力を失った後、僕たちはある種の政治的虚無主義に取り憑かれたと書きました。ある政治的綱領が正しいものだったかどうかは、未来において「あれでよかったのだ」と事後的・回顧的に確定されたときにはじめてわかる。それまではすべての政治的主張は等しく正しくないものとして扱う。それが「政治的虚無主義」と僕が名づけた態度のことです。これは僕たちの世代の多くにとっては共通するマナーでした。同じ傾向はもっと年少の世代にも見られると思います。

自分の双肩にかかっていると考える市民がいるか

ある政体の適否は未来にならないと証明できない。長い時間が経ったあとに、人々の口から「この政体にしておいてよかったね」という言葉が洩れたときに、その政体がよきものであったことが事後的に判明する。民主主義もそうです。未来のある時点までは、民主主義は「他のすべての統治制度」同様に「最悪」のように見えるでしょう。でも、未来においては「最悪」の度合いにはっきりとした差がつく。事実チャーチルは、民主主義は「これまで試みられてきたすべての統治制度よりもまし」だときっぱりと断言しています。

この断言はどこから出てきたのでしょう。それは第二次世界大戦でイギリスがドイツに勝ったからです。緒戦のダンケルクではぼろ負けして、ロンドンは空襲で苦しめられましたが、米軍が参戦してから流れが変わり、ノルマンディー上陸作戦で劣勢を挽回して、最終的勝利を収めた。英国民にはそれができるだけの力があった。それは、英国民のうちには、自分はこの戦争の当事者であり、戦争の帰趨はもしかしたら自分の双肩にかかっているかもしれないという考え方をする市民が多かったからだと思います。そう考える市民の数は、ドイツよりも、イタリアよりもずっと多かった。おそらくその事実が勝敗を分けた。チャーチルはそう考えていたのだと思います。

ドイツでもイタリアでも日本でも、事情は違っていました。それらの国々では、国の運命は自分の双肩にかかっていると考える市民の数は少なかった（ほとんどいなかった）。たしかに国が戦争に勝てば国民もその恩恵に浴し、戦争に負ければ国民もひどい目に遭う。その意味では国と国民は一蓮托生です。でも、一蓮托生ではあるけれど、負けたとしたら、それは自分の責任だと感じる人は、独裁国家の市民の中にはいなかった。それらの国では、国民たちは国の運命の決定に与っていないからです。国策の決定について意見を聞かれなかった。それが独裁国家の最大の欠陥です。戦争に勝っている間は、別に自分が意見を徴されなかったことにそれほど腹も立てない。だって、勝っているわけですから。版図《はんと》は広がるし、植民地では威張れるし、ビジネスチャンスも増える。いいことばかりです。でも、そういう人たちは、敗色濃厚となったときに、「こうなったのも私のせいだ」と自分を責めるということはしません。「こうなったのは独裁者のせいだ。騙された」と泣訴《きゅうそ》する市民ばかりになる。伊丹万作が戦後に痛烈な筆致で書いた通りです。

さて、多くの人が、今度の戦争でだまされていたという。みながみな口を揃えてだまされていたという。私の知つている範囲ではおれがだましたのだといつた人間はまだ一人もいない。ここらあたりから、もうぼつぼつわからなくなつてくる。多くの人はだましたものとだまされたものとの区別は、はつきりしていると思つているようであるが、それが実は錯覚らしいのである。たとえば、民間のものは軍や官にだまされたと思つているが、軍や官の中へはいればみな上のほうをさして、上からだまされたというだろう。上のほうへ行けば、さらにもつと上のほうからだまされたというにきまつている。すると、最後にはたつた一人か二人の人間が残る勘定になるが、いくら何でも、わずか一人や二人の智慧で一億の人間がだませるわけのものではない。

すなわち、だましていた人間の数は、一般に考えられているよりもはるかに多かつたにちがいないのである。しかもそれは、「だまし」の専門家と「だまされ」の専門家とに劃然《かくぜん》と分れていたわけではなく、いま、一人の人間がだれかにだまされると、次の瞬間には、もうその男が別のだれかをつかまえてだますというようなことを際限なくくりかえしていたので、つまり日本人全体が夢中になつて互にだましたりだまされたりしていたのだろうと思う。

このことは、戦争中の末端行政の現われ方や、新聞報道の愚劣さや、ラジオのばかばかしさや、さては、町会、隣組、警防団、婦人会といつたような民間の組織がいかに熱心にかつ自発的にだます側に協力していたかを思い出してみれば直ぐにわかることである。（伊丹万作、「戦争責任者の問題」、『映画春秋　創刊号』、一九四六年）

非民主的国家の特性は、失敗した政策については「その政策を立案し、遂行するように強く求めたのは私である」と言う市民がいないということです。政策が成功しているうちは「私が政府にやらせたのだ」と自慢げに言う人間はいるでしょうけれど、失敗すると、「政府の失敗は私の責任だ」と言う人間はいない。これは制度的にいないのです。

でも、民主国家の場合は、政府の政策が失敗したときに、損害を挽回し、壊れた仕組みを復元するために努力する市民としての義務が自分にはあると考える人がいる。もちろん全員ではありませんが、かなりたくさんいる。極論すれば、民主国家と独裁国家の違いはそこだけにしかないと僕は思います。民主制の国では国運が傾いたときに「国を支えるのは自分の使命だ」と思う国民の頭数が独裁国家よりも相対的に多い。政策の決定に関与してきたという実感がそれだけあるということです。

民主主義と非民主主義の違い

東京裁判のときに、小磯國昭元総理大臣は自分は満州事変にも、日華事変にも、三国同盟にも、対米開戦にも、すべて反対してきたと供述しました。怪しんだ検察官はいささかの皮肉を込めてこう訊きました。

「実際にこれらに対して反対をしておったならば、なぜにあなたは次から次へと政府部内において重要な地位を占めることをあなた自身が受け入れ、そうして……自分では一生懸命に反対したと言っておられるところの、これらの非常に重要な事項の指導者の一人とみずからなってしまったのでしょうか」

それに小磯被告はこう答えました。

われわれ日本人の行き方として、自分の意見は意見、議論は議論といたしまして、国策がいやしくも決定せられました以上、われわれはその国策に従つて努力するというのがわれわれに課せられた従来の慣習であり、また尊重せらるる行き方であります（丸山眞男、『増補版　現代政治の思想と行動』、未來社、一九六四年、一〇九頁、強調は丸山）

丸山は小磯の弁疏《べんそ》についてこう説明しています。

右のような事例を通じて結論されることは、ここで「現実」というものは常に作り出されつつあるもの或は作り出され行くものと考えられないで、作り出されてしまつたこと、いな、さらにはつきりいえばどこからか起つて来たものと考えられていることである。（同書、一〇九頁、強調は丸山）

丸山はこれを大日本帝国戦争指導部が罹患していた一種の病と診立てていますが、これは非民主的な政体においては誰でも口にすることではないかと僕は思います。非民主的政体においては、総理大臣として政策決定の中枢にいた人間でさえもが、国策の決定に自分は関与していないと思っている。小磯は嘘や言い逃れではなくて、本気でそう感じていたのだと思います。だから、戦時の総理大臣でありながら、戦争責任の引き受けをきっぱりと拒絶できる。別に小磯國昭が例外的に不誠実な政治家だったと僕は思いません。非民主主義的な国家の国民は誰でも「こういうこと」を言うようになる。

民主主義と非民主主義の違いは、極論すればこの一点にしかないと僕は思っています。国策が決定され、実施され、成功したときには「私が決めさせた」と言い出し、失敗したときには「私は反対だった」と言い張るような人物を組織的に生み出すのが非民主制です。これは個人の資質によるものではありません。非民主主義的な政体では誰でもそうなる。そのようなありようを僕は「復元力がない」と言っているのです。

独裁制の国でも、国策がぴたぴたと成功して、順調に国運が向上してゆくときは多くの市民が独裁者を称えます。でも、どんな国でもいつかどこかでつまずく。あらゆる政策に成功した国家は歴史上存在しませんから、必ずどこかで大きな失敗を犯す。そのときに非民主制の政体では、危機的状況からの復元を自分の義務だと観念する人間が少ない。それどころか、それぞれの現場において、失敗を隠蔽し、被害を過少申告し、責任を回避しようとする。制度設計したのは自分ではないし、運営の仕方を決めたのも自分ではないのだから、失敗の責任の取りようがないという自己正当化ができるからです。

国民の政策決定への関与度の高さとリスクを取り失敗の責任を引き受けてくれる国民の数は相関します。決定に関与したものだけがリスクを取れるし、リスクを取ると宣言したものだけが決定に関与できる。リスク・テイカー即デシジョン・メイカーというのがどんな政体であっても基本のルールです。ですから、デシジョン・メイカーが独裁者一人の国では、最終的にリスクを取り、責任をかぶる人も彼一人しかいない。多くの国民がデシジョン・メイキングに関与する国は、それだけの頭数のリスク・テイカーを当てにすることができる。だから、民主制が結果的によいものだったということは、つまずいてみないとわからない。

正常性バイアスがかかった眼で現実を眺めて、どれほど効率的にシステムを回すかということばかり考えている人間から見ると、民主制ほど効率の悪い政治システムはないように見えます。たしかに、その診断は正しいのです。国運が上昇しているときは、独裁制のほうが効率がよいに決まっている。決定が早いんですから。おかげで国民も豊かになる。多少の市民的自由の制限を受け入れてもおつりが来るくらいに「いいこと」がある。でも、いったん「つまずく」と、非民主制は脆《もろ》い。「ここを支えろ。ここの穴を塞げ」という指示があれば、人々は動きますが、「ここを支えないとまずい。ここの穴を塞がないとたいへんなことになる」とわかっても、自己裁量でつっかえ棒を噛ませたり、穴を塞いだりする人間が出てこない。久しく自己裁量ということそのものが禁止されていたからです。「トップは無謬《むびゅう》である」という前提で制度設計がなされている政体では、現場で自己裁量で決めることは原理的に許されない。でも、システムの危機というのは、中枢的にコントロールが利かないくらいに同時多発的にトラブルが起こることです。そういうトラブルには現場現場が自律的に動くシステムでないと対応できない。

独裁制では、極端に言えば、賢者は独裁者ひとりでいい。賢い独裁者以外は全員、上の指示に従うだけの幼児で構わない。逆に、民主制では、誰の指示がなくても、自律的にシステムのための最適解を見出して、それを実行できる人をできるだけ多く要求する。民主制は市民の成熟から大きな利益を得るシステムであり、非民主制はそうではない。だから、長期的に見ると、民主制を維持しているほうが「大人」がたくさん生まれる。民主制が「長期的に見ると、他の政体よりまし」なのは、そういう理由によるのだと僕は思います。

第八章

習合と純化

土着とは「死者とのつながり」

数年前に『徒然草』の現代語訳をしたことがあります。池澤夏樹さんが個人的に選んだ日本文学全集の一巻として、酒井順子さんが『枕草子』、高橋源一郎さんが『方丈記』、僕が『徒然草』という巻を編んだのです。『徒然草』なんて高校生のときに教科書で抜粋を何篇か読んだだけで、それから数十年手に取ったこともない。でも、池澤さんからのご指名ですから、何か深いお考えがあっての人選だろうし、古典の現代語訳というと橋本治さんの偉大な仕事があるわけで、橋本さんの「気分」をちょっと追体験してみたくなって、引き受けました。

二年少しかけて全篇を訳しました。そのとき、いくつか個人的なルールを立てました。一つは現代語訳しなくてもわかるフレーズは訳さない。「命長ければ恥多し」とか「少しのことにも先達はあらまほしきことなり」とかいうのは、もうストックフレーズとして日本語アーカイブには登録済みなわけですから、わざわざ不細工な現代語にする必要はない。

もう一つは、注をつけないということ。吉田兼好は同時代の有職が知らないような「どうでもいい些末なこと」に異常に詳しい人で、その「自慢話」が『徒然草』のかなりの部分を占めています。でも、これは書き手と読み手の知識の圧倒的な非対称性を示すためにわざわざ書かれていることですから、「すみません。何の話だかさっぱりわからないんです……」と立ち尽くすことこそ読者としてはあらまほしきリアクションであるわけです。著者が読者の当惑を当て込んで書いているんですから、ご存念の通りに当惑してみせようではありませんか。ということで一つも注をつけませんでした。同時代人が読んでもよくわからなかった話が八百年後の人間にわかるはずがない。

でも、そう腹を決めて、古語辞典片手に気楽に訳し飛ばしていったのですけれど、驚くべきことにこれが訳せてしまうんです。兼好が何が言いたいのか、わかるところはわかる（わからないところはわからない）。でも、現代人が書いたものだって、そうですよね。わかるところはわかるけれど、わからないところはわからない。

本が出たあとに『徒然草』現代語訳を終えて」という演題で講演をしました。その質疑応答のときに、フロアで手を挙げた方が「私は『徒然草』の専門家なのですが、訳について一言……」と切り出したので、冷や汗をたらしながら耳を傾けていたら、「係り結び」の訳し方がたいへん適切だったと言っていただきました。係助詞の後に動詞の活用が変わるというのは中学で習ったので知っていましたが、係り結びはニュアンスによって何種類も「訳し分け」をしなければならないということはその方から話を聴くまで知りませんでした。文法規則を知らないのに訳せていたらしい。

そのとき、八百年前に書かれたものが読めて、微妙なニュアンスもなんとなくわかるというのは、母語話者の特権だなということをしみじみ実感しました。僕と吉田兼好は長い歳月で隔てられていますけれども、日本語アーカイブを共有している。兼好は彼の時代まで列島住民が口にし文字に記したすべての日本語の蓄積を滋養にして彼の日本語を操っている。僕はそれから八百年後の日本語を操っている。僕がアクセスしている日本語アーカイブに収蔵されている言語資源は兼好の時代より増えたものもあるし、減ったものもある。でも、同じアーカイブを使い回ししていることに変わりはありません。

僕たちはそれぞれの集団に固有の文化的な土壌から滋養を汲み出して生きています。それは植物と土壌の関係と同じです。それぞれの土壌には固有の特性がある。だから、そこから芽を出した植物は、固有のかたちや色合いや手ざわりを示す。同じ土壌から生えてきた草なら、千年前の草と今の草の間には相通じるものがあって当然です。僕が「土着」と呼んでいるのは、そのような「死者とのつながり」のことです。

なぜ、仏教でも儒教でもなく、神道だったのか

最後に、いささかしつこいですけれど、神仏分離の話にもう一度戻ります。

明治政府ができて、天皇を現人神とする国家神道が「国教」として採択されました。でも、日本にはそれ以前に在来の土着宗教として儒教と仏教そしてさまざまな民衆信仰がありました。どれも深く日本人の精神の中に根を下ろしていた。でも、国家を近代化するときには、儒教・仏教ではなく、神道が選択された。それはどうしてなんでしょう。修験や巫覡が近代宗教

にならないことはわかります。でも、どうして鎮護国家の仏教や江戸時代の官学であった儒教ではダメなのか。

「それは江戸時代に国学というものがあってね……」と教えてくれる人がいます。いや、それは僕だってわかっているんです。でも、その説明では、その国学イデオロギーがどうして生まれたのかがわからない。「どうしてドイツにナチズムは生まれたのでしょう？」という問いに「それはドイツにナチズムが生まれる素地があったからだ」と答えられてもさして理解が進まないのと同じことです。どうして近世の終わり頃から、国家を近代化するためには、儒教・仏教ではなく、キリスト教でも道教でもなく、神道でなければならないという考え方に人々がなじむようになったのか？

日本仏教や日本儒学の知的な深みは決して国学に劣るものではありません。だから、もし宗教を一元化しようとしたら、それは儒仏神の三者からの択一だったはずなんです。仮に最終的に神道を選ぶことが政治指導者にとって既決事項であったとしても、それでも「なぜ儒仏ではなく神でなければならないのか」をそれなりに正当化する必要はあったと思うんです。でも、明治政府にはこの「それなりに」がない。「これからは神道でゆく。終わり」なんです。儒・仏・神三教の優劣を学的に論じた上での結論ではないのです。政治的既決事項なんだから「学的に」なんていう知的装飾は不要だったのかもしれません。でも、僕は気になる。繰り返し言いますけれど、僕は「起きてもいいはずのことが起こらない」と気になるのです。

空海に『三教指帰《さんごうしいき》』という書物があります。儒教と道教と仏教のどれが修すべきものとしてすぐれているかを比較検討するという宗論です。

兎角公《とかくこう》という人に蛭牙公子《しつがこうし》という甥の若者がいますが、行状がよろしくない。そこで、この若者を善導してもらおうと、有徳の知識人たちを招じて、説教をしてもらうことにしました。最初に来たのが亀毛《きもう》先生という儒学者、次が虚亡隠士《きよぶいんじ》という道士、最後が仮名乞児《かめいこつじ》という僧です。それぞれが自分の奉じている教えのすぐれた点を数え上げるのですけれど、最後の仮名乞児の教説を聴いているうちに、一同そのあまりの深さに失魂悶絶して、これまでわれわれは「瓦礫」のような教説を弄んできましたけれど、ご高論に接して「乃《すなわ》ち吾《わ》が道《みち》の浅膚《せんぷ》なることを知んぬ」と前非を悔いて仏教に帰依する……という話です（空海、『三教指帰』、角川ソフィア文庫、二〇〇七年、一四四頁）。

『三教指帰』は八世紀末に「どの宗教が日本において支配的なものになるべきか」という根源的な問いにまっすぐ回答したものです。いくつかの宗教が並立している際に、そのうちのどれがすぐれているかを論じるときのこれが基本的な手順だと僕は思います。

だから、明治政府が神道こそが「日本人が選ぶべき宗教である」ということを多少でも合理的に基礎づけようとしたら、ふつうに考えたら、『三教指帰』の手順に従ったはずなんです。儒仏はダメで、神道がよいということをこの手順で論証したはずなんです。なにしろ神仏習合で千年以上やってきたのを「今日から止める」というわけですから。何らかの理由づけは必要でしょう。

もちろん、国学者たちは口を揃えて「仏教はダメだ」と書きました。でも、それは『三教指帰』の骨法に学んで、神仏二道の教説を一瞥して、その優劣長短をあたかも客観的な視点に立っているかのように論じるというものではありませんでした。この「あたかも客観的な視点に立って」というところが肝心なんです。「神道がよい」という結論にとっくに腹は決まっていたとしても、それでもその結論に至るまでには「あたかも客観的な視点に立って」理路をたどったように見せるという学術的痩せ我慢はしてほしい。それは僕が「ほしい」というだけで、別になくても誰も困らないのかもしれませんが、僕はそういう痩せ我慢をして「ほしい」。でも、そういう書物が見当たらない。あれば、僕が読んだ本のどれかで「この学者のこの論が神道護教論の決め手となった」という記述に出会ってよかったはずなんですけれど、出会っていない。

神道の卓越性を論じないことによって証明する

幕末にもっとも読まれた時事論の一つに会沢正志斎の『新論』という本があります（執筆されたのは一八二五年、刊行は五七年）。幕末憂国の志士でこれを読んでいないものはいないと言われたくらいの「王政復古の実践的指導理論の書」です。正志斎は水戸学の人ですから、もちろん日本人は儒仏を廃して神道を選ぶべきだと論じているのですが、仏教は最初から「邪説」として提示されます。問答無用で穢《けが》れた外来種として扱われる。どうして邪説なのかはあまりに自明なので説明されていない。

正志斎によれば、邪説が入る前の古代、「人々は朝廷を天神の如く仰ぎ、孝を以て君に事《つか》え、同心一志、ともにその忠を輸《つ》くしたので、風俗は慎み深かった（風俗以惇矣）」ということになっています。原初わが国は純良で、清浄であったという話から始まります。そこに応神天皇の御代に孔子の学が伝わりますが、「その教えは天命・人心をもととし、忠孝を明らかにし、天帝に仕え祖先を祭ることを教えたもので、天照大神の不朽の教えと大同小異である。（與天祖之彝訓《いくん》大同）」（原田種成、『会沢正志斎・藤田東湖』、明徳出版社、一九八一年、一五頁）とされました。儒教は先祖の訓とだいたい同じだからよろしい、と。これはちょっと意外な基準による儒教評価です。でも、仏教ははじめからダメなんです。

仏法がわが国に入ったとき、朝廷ではわが国には祭祀の法があるから、蛮人の神を拝すべきではないという議論があった。ところが逆臣蘇我馬子《そがうまこ》は私《ひそか》にこれを信奉し、聖徳太子などと結託して寺院を建立した。それ以後、僧侶《そうりょ》がしだいにふえ、盛んに仏説を宣伝したので、民心は神の道から離散してしまった。（…）本地垂迹《ほんじすいじゃく》説《せつ》が起こると、おごそかな神々も仏名を冠せられるようになった。国内ことごとく自分から蛮夷に変ってしまえば、国体の存在するわけがない。（同書、一五－六頁）

「祖宗《そそう》の訓《おしえ》、巫術《ふじゆつ》によって乱れ、仏法によって変じ、陋儒俗学《ろうじゆぞくがく》によって微《おとろ》え、諸説によって民心は滅裂《めつれつ》せり」(同書、一六六頁)ですから、取り付く島もありません。でも、仏教のどういう教えが、どういうふうにダメなのかについては書いていない。天祖の訓に違背するからダメだというだけです。「天祖の訓に違背する教え」がどうして千年以上にわたって日本人の宗教生活の核心にあったのか、それについて正志斎はまったく問題にする気がないようでした。

それは本居宣長も同じです。宣長はご存じの通り、儒教、仏教に対する神道の卓越性を基礎づけて、国家神道に至る理路を示した人です。でも、その宣長も儒仏神の三道を比較して、その優劣を学的に論じるということをしてはいません。でも、正志斎の「ダメなものはダメ」というよりはもう少し手順が込み入っています。宣長によれば、いくつかの理説を並列して、その優劣を論じるというふるまいそのものが「漢意《からごころ》」だからです。だから、ことの理非を言い立ててはいけない。そういう理屈っぽいのこそが儒仏の弊風なのであり、そういうことをしないのが「大和心」である、と。

すべて神の道は、儒佛などの道の、善悪是非をこちたくさだせるやうなる理屈は、露ばかりもなく、たゞゆたかにおほらかに、雅《ミヤビ》たる物にて、哥のおもむきぞよくこれにかなへりける。(本居宣長、『うひ山ふみ・鈴屋答問

録』、岩波文庫、一九三四年、四五頁）

「道の善悪是非をこちたくさだせる」ことそれ自体が儒仏の作法であるわけですから、「儒仏の善悪是非」をうっかり論じたら、「漢意」に屈したことになる。宣長のいう「漢意」とは「漢国の風儀を好み、かの国を尊ぶことだけをいうのではない。おおく一般に、あらゆることの善悪を議論し、ものごとの道理をさだめるといったこと、これらすべてみな漢籍の趣である、そのことをいうのである」（『うひ山ぶみ』、白石良夫訳注、講談社学術文庫、強調は内田）。

ですから、「どうして儒仏ではなく神でなければならないのか？」、「どうして千年以上続いた神仏習合を止めなければならないのか？」、「どうして日本人が千年以上修してきた宗教が『日本のもの』ではないということになるのか？」というような問いは問われてはならないということになります。

なにごとも漢国をよしとしてそれを学ぶ世の習いが千年以上もつづけば、自然にそういった風潮が世の中にゆきわたって、人の心に染み付いて、それが日常の普通の状態となった。それゆえ、自分は漢意を持たないと思い、これは漢意ではない、当然の道理だと思うことがらでも、じつは漢意から離れられなくなってしまっているのである。（『玉勝間』、強調は内田）

ここは宣長の『玉勝間』の現代語訳を引きました。自分は客観的にものを見ているつもりでいるけれど、実はイデオロギー的なバイアスがかかっているのだ……って、ほとんどポストモダンですね。似たようなことを学生時代によく言われました。過激派学生諸君のやることにあまりに非常識なことがあったので「それはいくらなんでも非常識じゃないの」と文句をつけると、「常識・非常識というような判断基準でものを考えること自体がお前がプチブル階級意識に囚われていることの証なんだ」というふうに一蹴されてしまいました。お前のものの考え方自体が間違っているので、お前の下す理非善悪の判断は全部間違っていると言われると反論できないんです。だから、それ以来こういう論法には警戒心を抱いてしまう。

だいたい「漢国をよしとしてそれを学ぶ世の習い」がかれこれ千年以上続いているわけですから、「そういうのが日本風」だとみなしてよいと僕は思いますけれど、宣長はそうは思わない。たしかに、それも一理はあるんです。久しく日本の知識人には中国を上として、和風を下に見るという態度がありました。加藤周一によると、「五山の詩僧がその詩に対する最高の讃辞としてうけとったのは、『まるで日本人の作のようではない』ということであった。『和臭なし。』これが詩作の理想である」(加藤周一、『雑種文化』、講談社文庫、八四頁)。宣長が腹を立てていたのは、あるいはそういう知識人の批評性を欠いた態度に対してだったのかもしれません。彼らは和風のどこが卑俗で、漢風のどこが高雅であるのかについては分析的には語らなかった。ただひたすら「文学的および芸術的価値」も「倫理的価値」も根源は中国にあると信じていた。

中国と価値とは混同され、同一視されていた。これが中国「一辺倒」の基本的な構造である。すなわち「一辺倒」は、正確には、外国の理想化ではなく、外国と理想の同一化である。(同書、八五頁)

もし宣長の「漢意」批判がこのような「外国と理想の同一化」という知的怠慢についてのものであるとするならば、論としての筋は通るのです。でも、どうもそうではない。「そういう態度」がよくないと難ずるのではなく、理想を同一化する先が外国であるのがよろしくない、と。日本と理想を同一化しなければならないという話にずれてゆく。

そもそも人の心は皇国も外国も異なることなく、善悪是非に二つなく、特別に漢意といったこともあるはずがないと思うのは、一応もっともなことのように聞こえるけれども、そう思うのもすなわち漢意なので、とにもかくにもこの漢意というやつは除きがたいものなのだ。(本居宣長、前掲書、強調は内田)

日本人が無反省的に自然状態にあるときは「漢意」である、漢意が日本人のデフォルトだということになると、日本人はあるがままではほんとうの日本人にはなれない。ほんとうの日本人になるためには、今の自分の考え方や感じ方から脱却しなければならない。日本人は日本人に生まれるのではない、日本人になるのだって、ほとんどボーヴォワールの『第二の性』の「人は女に生まれるのではない、女になるのだ」と同じ構文です。

日本人が久しく古代の道を見失っていたのは、それを儒仏の術語や語法によって説明しようとしてきたからです。漢意が「千有餘年、世中の人の心の底に染著《シミツキ》てある、痼疾《ふかきやまひ》」（『うひ山ぶみ』、岩波文庫、三一頁）である以上、とにかく徹底的に心身を浄める必要がある。「かくのごとくなる故に、道をしるの要、まづこれを清くのぞき去にありとはいふ也。これを清くのぞきさらでは道は得がたかるべし」（同書、三二頁）。

この論理構成は宗論としては実にユニークなものだったと思います。神道が他宗教に比していかに卓越しているかを論じないことによって神道の卓越性を証明したんですから。宣長はついに「大和心」とはどういうものか、「漢意」とはどういうものかを単離して論じることをしませんでした。なにしろ「敷島の大和心」は「朝日に匂う山桜花」なんですから。わかる人にはわかるし、わからない人にはわからない。

空海と同じ話形を選択した中江兆民

例外的に儒仏神の三道を学的に論じた書物も実は存在します。近世の日本知識人の中で際立って合理的な考え方をする人に富永仲基という人がいました（内藤湖南は「日本で第一流の天才」と称しています）。仲基は『翁の文』（一七四六年）という書物で儒仏神の三道を論じています。三つの宗教の特質を客観的な視座から比較したという点では、江戸時代においてもおそらく例外的なものではないかと思います。ただし、仲基の宗論の結論は神仏分離論とはぜんぜん方向違いなんですけれど。

仲基は人間の知性はそれぞれの地理的・歴史的条件によって規定されると考えます。思想・思念には歴史があるから、それが発生してきた文脈を知らないと、それが何であるかを言うことができない。そういうきわめて近代的な考え方を仲基はその学術的方法の基礎とします。

もちろん、宗教もそれが成立する歴史的条件がある。いくつかの歴史的条件が整ったことによって宗教は成立する。ですから、歴史的条件が変われば、宗教は変容し、興隆し、消滅する。きわめて近代的な考え方です。その上で、儒仏神はどれも今の世には合わない。歴史的な存立条件を失ったので、今の人はそれ以外の「誠の道」を求めるべきだというのが仲基の結論です。

今の人たちは、神儒仏の道を三教と呼び、天竺・漢・日本の三国を並列してその同一性と差異を論じるけれども、この三教の道はいずれも誠の道ではない。仏は天竺の道、儒は漢の道で、異国の教えであるから日本の道ではない。神は日本の道ではあるけれど、時代が違うので、今の世の道ではない。（…）この三教の道はいずれも今の世の日本に行れざる道である。（富永仲基、『翁の文』、關儀一郎編纂『解説部 第二』、http://www2s.biglobe.ne.jp/~Taiju/1746_okinanofumi.htm、現代語訳は内田）

儒仏は国が違う。神道は時代が違うというのが仲基の論です。神道というものは実は昔からあったものではない。密教の影響下に両部《りょうぶ》神道というものができたが、これは「儒仏の道を合せて、よきほどに加減して作りたるもの」である。その次に「本迹縁起《ほんじゃくえんぎ》」というものができたけれど、これは仏教者が作ったものです。それから「唯一宗源」というものが出てきて、儒仏の道を離れて、ただ純一の神道を説いた。その後「王道神道」というものが出てきた。どれも時々の歴史的条件に応じて、先行する体系を改変したものです。「そのことを知らず、愚かなる世人はこれを誠の道だと思い違え、互いに是非を論じて争うありさまは気の毒でもあり、笑止でもあり、おかしくもある」(同書)とにべもありません。

ちなみに仲基の言う「誠の道」というのは、「唯物ことそのあたりまへをつとめ、今日の業《わざ》を本とし、心をすぐにし、身持をたゞしくし、物いひをしづめ、立ふるまひをつゝしみ、親あるものは、能《よく》これにつかふまつり」というものです。要するに市民として常識的に生きなさいということです。いささか拍子抜けしますが、僕はこれは実に健全な態度だと思います。

仲基の宗論は、結論は違いますけれど、客観的な立場から三教を論じるという点では、『三教指帰』の手法を踏襲しています。これが日本における宗論の本来のあり方ではないのかと僕は思います。というのは、論件は変わっても、そのスタイルは受け継がれているからです。

中江兆民の『三酔人経綸問答』は明治二十年の作です。紳士君、豪傑君、南海先生という三人があるべき政治外交について、それぞれ持論を語るという結構の書物です。これは誰が読んでも『三教指帰』のパロディです。

紳士君は立憲民主制の導入と、非武装中立、道義によって欧米列強を圧するという理想論を語り、豪傑君は武力をもってアジアの隣国を武力侵攻して、これを領土とするという帝国主義的な大風呂敷を広げます。南海先生はその極論をたしなめて、ゆるやかに民主制を進め、軽武装による専守防衛の策を説きます。紳士君はまだ生まれていない新思想を望んで無力であり、豪傑君は時代遅れの武断論を語って空疎である。二人に共通しているのは「過慮」である。あんたたちは妄想を膨らませすぎなんだよ、もっと常識的に生きなさい、と(中江兆民、『三酔人経綸問答』、岩波文庫、一九六五年、一九九頁)。話のもっていき方は空海と同じで、結論は富永仲基と同じです。

延暦十六年から明治二十年の間には千年の歳月が流れているわけですけれど、日本人が選ぶべき道は何かを論じるとき、中江兆民は空海と同じ話形を選択しました。そのことに僕は驚くのです。そして、こういうのがその語の正しい意味で「日本的」な知性のありようではないかという気がするのです。

宗教史でも神仏分離の理由を議論しない

神仏分離では、日本に土着した仏教も、江戸時代までの官学であった儒教も「どうしてダメなのか」という議論抜きに、まとめて棄却されました。どうして「そんなこと」が可能だったのか、僕はそれがずっと不思議でしかたがなかったのです。ほんとうに。そして、どうして「こんな変なこと」が起きてしまったのかと素朴に不思議がっている歴史書に出会ったことがなかった。どの本も「春の後には夏が来ました」みたいな感じで、「神祇官によって神仏分離が行われました」とさらっと書いている。修験道やシャーマニズムを含めて、日本の民衆がそれまで宗教文化として日常的に享受してきたものがまとめて「千有余年、世中の人の心の底に染み着きてある、痼疾」だということにされた。本居宣長がそう書くのはいいんですよ。学者なんですから。仮説を立てるのが仕事なんですから。でも、当時の市井の人たちまでまことにあっさり「千有余年」の宗教文化を、それこそ弊履《へいり》を捨つるが如くに、棄ててしまったことに僕は驚くのです。もう少しじたばたしてもいいんじゃないでしょうか？「ちょっと待ってください。いきなりそんな乱暴なことを言われても困ります」と話をいったん押し戻して、神仏分離の理非について熟議したらいかがかと提案するのが常識的ではないかと僕は思うのです。歴史的出来事について「それは常識的ではない」というような言いがかりをつけても無意味だということはわかっているんです。それでもどうして「こんな非常識なこと」がまかり通ったのかは理解したい。

もう一度言いますけれど、「神仏分離」を平気で実施した政府と、それを平気で受け入れた人々のことを僕は「変だ」と思います。誰か一緒に「変だ」と思ってくれる人はいないかなと思っていたら、いました。さいわい、島薗進先生は神仏分離について「実は宗教史ではこの変化にあまり触れません」とこの論件を宗教史家があまりしたがらないと認めています。

つまり、天皇が国のお祀りをするようになって、大嘗祭を国民の行事として行うようになったことが、いかに大きな意味があったかということを、あまり宗教史では議論しないものですから、よくわからないのですが、実は大きな変化がここにあって、国民が国家の祭祀に組み込まれていくということが起こりました。(島薗進、「明治初期の宗教政策と国家神道の形成　神仏分離を中心に」、『神仏分離を問い直す』、法藏館、二〇二〇年、二七頁)

「大きな変化」があったのだけれど、「あまり宗教史では議論しない」ので、みんなが納得するような説明がないらしい。島薗先生がそうおっしゃるならしかたがない。僕は自力で個人的な仮説を立てることにしました。それは次のようなものです。

日本人にとっては、土着と外来のものが習合しているのが「ふつう」である。いろいろな要素が出自や時代差を超えてハイブリッドされている状態が日本人にとっての「当たり前」なのです。ところが、間歇《かんけつ》的に、土着と外来を分離して、日本本来のものを単離せよという揺れ戻しが起きる。純血状態、初期化をめざすバックラッシュが起きる。われわれが今あるところのものは、われわれの本然のあり方ではない。外来のものに汚染され、原初の清浄が失われたせいで、「こんなありさま」になっているのである。外来の異物を排除し、純粋状態に戻れば、もろもろの不調のすべては消失し、社会は活力を回復する。そういう社会理論、文化理論です。

もちろん、「純血状態」などというものは観念的なこしらえものであって、実体としては存在しません。にもかかわらず、「ここにあるもの」が偽物で、「ここにないもの」が本物だというアイディアには強い喚起力がある。穢れた「外来のもの」を廃絶して、清浄な始源に還るという話を聴くと、身体の深いところが揺さぶられる。そのことは、どうやら世界共通のようです。

三島由紀夫が「天皇」という言葉が「日本の底辺の民衆にどういう影響を与えるかということを一度でも考えたことがあるか」と全共闘の学生たちを挑発したときに「天皇」という文字列で言おうとしていたのは、「原初の清浄に帰還する」というアイディアのことだったと僕は思います。「かつて一度も現実になったことのない過去」という不思議な言葉づかいをエマニュエル・レヴィナスはしたことがありますが、三島がこのときに口にした「天皇親政」という統治のかたちもそうなのかもしれません。

でも、実際には、天皇自身が強権的なリーダーシップを発揮して、中間的な権力装置を介在させず、直接人民と結びつこうとした例は、後醍醐天皇の建武の新政を除くと、日本の歴史にはほとんど存在しません。その後醍醐天皇の親政にしても、これを「原初の清浄」と形容することには無理がある。なにしろ、後醍醐天皇は遊行無縁の人々をそのクーデタのために動員したからです。内裏には、覆面をし、笠をかぶった、出自も知れぬ聖俗いずれともつかぬ異形の人々が闊歩していた。たぶん日本の歴史上もっとも出自の知れない異物が無秩序に混在していたのが後醍醐の天皇親政期です。これを「帰還すべき原点」とすることは三島だって考えてはいなかったでしょう。だとしたらいったい三島はどこに還るつもりだったんでしょう。

少し前にイタリアの「スロー・フード運動」というものがありました。ご記憶だと思います。これはマクドナルドのローマ出店に抗議して、イタリアの固有の食材を伝統的なレシピで食べようという「ファスト・フード」に対抗する地産地消をめざす運動でした。それだけを見ると、ごく「まとも」な主張のように思えます。でも、彼らが言う「固有」や「伝統」は果たしてどこまで遡れるのか。

トマトは南米原産の植物で、イタリアに入ったのは大航海時代です。それから二百年にわたって品種改良されて、食用に供されるようになったのはようやく十八世紀になってからです。ジャガイモもタマネギももともとは外来種です。そういうものを「固有の食材」にカテゴライズしてよろしいのか？　もちろん「二百年も食べ続けていればもう土着の植物だ」と言うこともできます。でもそれで通るならマクドナルドのハンバーガーだってあと二百年食べ続けられたら、イタリアの「固有の食」に登録されるかもしれません。それでいいのか、悪いのか。「固有の」というような過激な言葉を吐く以上、それくらいのことは考えてほしい。本居宣長は「千有余年」くらい日本に存在したからといって、外来のものは決して固有になることはないと説きました。宣長のロジックを適用すれば、イタリアンのスロー・フード運動家たちはトマトもジャガイモもタマネギも抜きのレシピを考案しなければならない。そうじゃないと「漢意」に毒されることになりますからね。もちろんそんな無体なことは僕は言いませんけれど、「宣長だったらそう言うよ」ということはお伝えしたい。

習合論者は戦わない

「原初の清浄に還れ」というのは、世界中のすべての社会の「浄化論」に共通する文型です。反ユダヤ主義も黄禍論も移民排斥も民族浄化も在日コリアンへのヘイトも、排除される集団はそのつど違いますけれど、用いられる文型は同じです。外来種である「こいつら」が入り込んできたせいで、われわれの社会は汚され、収奪され、壊乱され、疲弊している。「こいつら」を排除して、純粋状態に戻れば、われわれの社会は甦る。全部同じ構文です。そして、この「浄化論」「原点帰還論」「初期化論」が声高に叫ばれるときに、人々は節度を失って、過剰に暴力的になるのも世界どこでも同じです。

化学的に不安定な状態が一気に安定状態に移行するプロセスを「爆発」と呼びます。一気に

「原状に戻る」ときに巨大なエネルギーが放出される。どうやら人間社会もそれと同じように作られているようです。原初の、シンプルで、同質的な状態に一気に戻ろうとするときに社会は激烈な政治的エネルギーを放出する。だから、多くのカリスマ的な政治的指導者は「混淆状態」から「純粋状態」への化学的単離によって巨大な政治的エネルギーを解発できるということを直感的に察知しています。

僕が「習合」ということにこだわるのは、「原初」とか「純粋」とかいうアイディアが嫌いだからです。ほんとうに寒気がするほど嫌いなんです。だから、「習合」という対案を提示しているのです。それによって「純血」をめざす政治的熱狂を抑制したいのです。

それに僕がわざわざ「対案」なんか出さなくても、「純血主義者」のほうがまっさきに「習合論者」を攻撃目標にしてくれます。「お前のようなやつがいるから世の中の筋目がぐちゃぐちゃになるのだ」とめざとく見つけ出して叱り飛ばしてくれる。

でも、僕はそう言われても、戦わないのです。だって、こっちは「習合論者」ですから。「習合論」と「純血論」が対峙したときには、「困りましたなあ。あちらが立てばこちらが立たず。どうです、ここは一つナカとって……」といってとりなしを図るのが習合論者の骨法です。喧嘩しないんです（嫌味くらいは言いますけれど）。

習合論の立場に立つかぎり、人はファナティックになりません。なりようがない。習合というのは、受け入れ、嚙み砕き、嚥下《えんげ》し、消化し、自分の一部にするということだからです（うまく消化できなかった場合は申し訳ないけど「排泄」しますが)。どちらにしても採り込んだ異物の一部は僕の生体組織に組み込まれて、僕の一部分になる。そんなふうにして、僕は「これまでの自分」とは別の生き物に変化する。組成要素は増え、「ナカとって」の技術もだんだん高度化する。そうやってだんだんより複雑な生き物に変わってゆく。

僕が神仏習合が好きなのは、それが実に複雑な構造物だからです。奈良時代、地場の神さまは最初「天部の仏神」として仏教的位階制に組み込まれましたが、本地垂迹説を採り入れてからは如来・菩薩と同格のものだということになりました。さらに、天皇制の正統性を仏教的に基礎づけるために、天皇家の祖神である天照大神は大日如来の垂迹神であるというご都合主義的な神話があとづけで作られた。話がどんどん複雑になる。僕は「話がどんどん複雑になる」のが好きなんです。好き嫌いですから理屈はありません。でも、「話を簡単にしよう」と言い出す人間がだいたい何かを排除したり、何かを破壊するのに対して、「話を複雑にしよう」と言い出す人間は何も排除しない、何も破壊しない。習合というのは破壊しないこと、排除しないこと、両立し難いものを無理やり両立させることだからです。

両立し難いものを無理やり両立させることの一例に、今ふっと思いついたので「ヒポクラテスの誓い」を挙げておきます。これは医療人がその職業を始めるときに誓約するもの。その中に「どんな家を訪れるときもそこの自由人と奴隷の相違を問わず、不正を犯すことなく、医術を行う」という一条があります。患者が自由人であっても奴隷であっても、富者であっても貧者であっても、それによって医術の内容を変えてはならないという誓いです。今でもアメリカの大学の医学部では卒業式にはヒポクラテスの誓いを唱和するそうです。でも、これは変な話です。だって、アメリカは「医療は商品だ」という国だからです。富裕な人は良質の医療が受けられ、貧乏人や無保険者は医療を受けられない。それは自己責任だ、と。そう考える人がマジョリティだからオバマケアも廃止されそうです。そういう現実が一方にありながら、医師たちは卒業式では現実と隔たること遠い理想を誓言している。でも、それについて「現実と違うからそんな空語を誓言するのは止めよう」と言い出す人はいないようです。だって、ヒポクラテスがそんな誓言を書き入れたのは、古代ギリシャにおいても、患者の身分によって医療内容を変える医者がいたからです。いたから「そういうことをしてはいかん」と言ったのです。いなけりゃ書きません。だから、医療人はその職業が成立した最初から現実と誓言の間にずっと引き裂かれていたんです。引き裂かれてあることがその本務の一部だった。でも、そのおかげで、スピーディで確実な診断法を確立し、安価で効率的な治療法を開発し、貧しい人でも良質の医療が受けられる仕組みを作ることへのインセンティヴが高まった。現実と理想の間で引き裂かれていたからこそ医療技術と医療制度の進歩はありえたのです。進歩する以外に「折り合いをつける」方法がないからです。

両立しえないものをなんとか両立させようとじたばたするときに、思いがけない解が見つかる（ことがある）。僕が習合の豊穣性を信じるのはそういう経験的確信があるからです。

純化は自らの死を速める

かつて神仏分離は短期間に、暴力的かつ熱狂的に行われました。でも、その逆方向の神仏習合への回帰は百五十年かけて、非暴力的に、穏やかに、ゆるゆると今進行しています。純粋なものに戻る運動はいわば進化のプロセスを高速で逆走するわけですが、反対に、異物を取り込む運動は、それを咀嚼し、消化吸収し、分子レベルで同化するために、かなり長い時間を要する。純化は速く、習合は遅い。だから、「今すぐ」に何か大きな社会的変化を実現したいと願う政治的イデオローグたちは絶対に習合的手法を採りません。必ず、「原点回帰」を呼号する。

僕が習合というかたちにこだわるのは、「原点回帰」「純血化」「初期化」というアプローチが心底嫌いで、怖いからです。こういう「浄化」は歴史的に繰り返し行われました。でも、これまた歴史が教えてくれるように、持続的な成功を遂げたものはありません。考えてもみてください。たとえば今日本社会はきわめて不調で、あちこちに「がた」が来ています。それが外来のものによって社会が汚染されているからだと説明する人がたくさんいます。では、というので、日本で暮らしている外国人たちをまとめて「国に帰れ」と言って排除したら、それで日本社会が一気に絶好調になるということがあり得るでしょうか？　そんなこと、起こるはずがない。日本には外国人がすでに三〇〇万人暮らしているんですよ。その人たちが製造業、小売業、サービス業などの基幹産業に従事している。彼らから仕事を奪って、日本人だけしか働けないようにしたら、彼らの労働力に頼っている事業者が倒産・廃業するだけです。外国人を一掃してみたけれど、さっぱり社会システムが好転しないとしたら、このレイシストたちはどうやってこの事態を説明するでしょう。

彼らは次にこう考えます。日本人のくせに悪い外国人の手先になっている「獅子身中の虫」がいて、国を裏切る破壊工作に従事しているのだ、と。そうして、同じ日本人だけれど、「原点回帰」派に異を唱えて、「他者との共生」を論じる人たちが「第五列」「敵性国民」「スパイ」「反日分子」「非国民」として告発されることになる。これはまさに今の日本でさかんに行われていることです。僕のような人間に向けてさえ「在日」とか「反日」というレッテルが貼られるんですから。この場合の「在日」というのは「在日日本人」ということです。おまえは日本にいるけれど、それはトランジットの資格での滞在に過ぎない。おまえは日本のフルメンバーではない。だから、日本の「決まり」に逆らうのなら滞在許可を取り消す、と。そう警告されているわけです。

そのうち僕のような「在日日本人」たちも社会的に排除されたとします。そして、ついに「真の日本人」だけで日本社会が構成されることになりました。めでたいかぎりですが、もちろんそれでも日本経済はさっぱりV字回復する気配がないし、国際社会における政治的プレゼンスも低下するばかりだし、文化的発信力も衰微するばかりです。まあそうですよね。労働力は足りないし、ものの道理のわかった知識人やテクノクラートはおおかたが「在日日本人」認定されたんですから、もう後には「頭の悪い純正日本人」しか残っていない。その人たちだけで国を回そうというのですから、回るはずがない。そうなるとどうなるか。彼らが最後にたどりつく結論は「非国民」や「反日」を摘発していると称している自称「純正日本人」のうちにこそ「非国民」や「反日」が偽装して入り込んでいるのではないか、「灯台下暗し」、われわれ以外の自称「愛国者」たちこそが売国奴なのだという話になる。

ナチス・ドイツは大戦間期のドイツの諸悪はユダヤ人の陰謀だという説明を採用して、ユダヤ人を社会の全領域から排除しました。そして、ヨーロッパ全土を占領して、そこでもユダヤ人たちを捕らえて強制収容所に送り込みました。彼らの推論が正しければ、ヨーロッパのユダヤ人を六〇〇万人殺した段階で、それ以前の「ユダヤ人に汚染されていた状態」からドイツは純粋なる原初に帰還し、絶好調になってよいはずですが、戦況はさっぱり好転しませんでした。ユダヤ人を排除したはずなのに、なぜドイツの調子は上向きにならないのか。しかたなく、チャーチルもルーズヴェルトもスターリンもみんな「ユダヤ人の走狗」であるという説明を採用して、まだまだユダヤ人を根絶し足りないのだという話にした。そのうちさらに戦況が悪くなって、連合軍がベルリンに迫ると、ついにナチスの高官たちは「ナチスの戦争指導部内部にユダヤ人が巣食っていて、ドイツを敗北させようと暗躍している」という妄想に取り憑かれるようになりました。自分たちの集団の不調を「外来のものによる汚染」によって説明しようとする人たちは、自分の身体に侵入した「病原菌」を殲滅《せんめつ》しようと、菌に侵された「患部」を切除しているうちに、手足を失い、臓器をえぐり出し、最後には自分で自分の首を切り落とすようになる。

僕が習合というありかたにこだわるのは、社会を持続的に住みやすいものにしてゆく方法はそれしかないと思うからです。浄化や純血化や初期化や原点回帰はたしかに強い政治的エネルギーを解発しますし、それまで盤石《ばんじゃく》だと思えていたシステムを瓦解させることもできる。でも、それによって僕たちはあまりに多くのものを失ってしまう。「原初の純粋状態へ戻れ」論は破壊力が強すぎる。

だから、僕が提案しているのは、本居宣長が「これは日本固有のものではない」と断じたもののごとのありようを「これこそ日本固有のものだ」と逆転させることです。外来のものと固有のものが出会って、そこにアマルガムが生じ、ある種の化学変化を起こすときに、日本文化は多産で豊穣なものになる。これは『日本辺境論』以来の僕の変わらぬ主張です。

「氷炭相容れず」というほどに隔たったものを「水波の隔て」に過ぎないと見立てること、遠いものを近づけ、異質なもののうちの共生可能性を見出すこと、僕はそれが「できる」というところに日本人の可能性があると思っています。もちろんこんなのは僕の創見でもなんでもなくて、先賢はどなたもずっと言っていることですし、みなさんも直感的には気がついていることだと思います。

日本のポップスは七〇年代に世界のポールポジションをとった

先年亡くなられた音楽家の大瀧詠一さんが「日本ポップス伝」というNHK・FMでのラジオシリーズの最終回でこんなことを言っていました。大瀧さんもそのメンバーの一人だった、はっぴいえんど（あとの三人は細野晴臣、松本隆、鈴木茂）というバンドが六〇年代に企てた「日本語によるロック」という音楽的創造は、実は日本人がずっと昔からやってきたことをそれと気づかずに再演していたのだ、と。それは外来のものを土着のものと習合させて、新しいものを創造するということです。

日本の国歌『君が代』は、『古今和歌集』収録の「詠み人知らず」の長寿祝歌に、明治三年イギリス人の軍楽隊教官ジョン・ウィリアム・フェントンが西洋的な旋律をつけたものを、明治十三年にドイツ人音楽家のフランツ・エッケルトが改作したものです。日本人の多くが、おそらく「日本固有の歌」と思い込んでいるこの歌曲は百五十年前にイギリス人とドイツ人の手で作られたものです。

これはいわば「習合」の精華です。だから、僕は『君が代』という歌曲はすぐれて「日本的」だと思うのです。フェントンが作曲する前、『君が代』は薩摩琵琶『蓬莱山』の歌詞の一部でした。でも、日本の国歌なのだから薩摩琵琶の旋律で歌うべきだというふうに明治の人たちは考えなかった。ヨーロッパ的旋律に『古今和歌集』を載せるほうが日本的だと直感したのです。そうやって、二十世紀に入ってからも、日本のミュージシャンたちは日本固有の叙情や音韻をジャズに載せ、ハワイアンに載せ、ラテンに載せ、カンツォーネに載せ、ロックンロールに載せてきた。

六〇年代に「日本語によるロック論争」というものがありました。「ロックは英語で歌うべきだ。そうでないと世界性を獲得できない」と主張するロック・ミュージシャンに対して、大瀧さんたちは何よりもまず「日本人にしか作れないロックミュージック」を創造しようとしました。それは松本隆さんの書く日本的叙情溢れる歌詞をバッファロー・スプリングフィールドの曲想に載せるというようなかたちで行われました。フェントンの『君が代』と構造的には同じです。はっぴいえんどは短期間の活動で終わりましたが、その独創性はそれから半世紀ほどしてフランスで発見されることになりました。

二〇一七年に、フランスで「日本のロック」のコンピレーション・アルバムCDが出されました。YouTubeのおかげで、今は世界中のあらゆる時代の楽曲を聴くことができますが、ヨーロッパのリスナーたちはそこで偶然日本の六〇～九〇年代のポップスを発見したのです。そして、その独創性とクオリティの高さに驚愕した。このアルバムをプロデュースしたオリヴィエ・ラムはCDの解説にこう書きました。

日本のポップスは一九七〇年代初頭に同時代に世界のポップスのポールポジションを制していた（でも日本以外の人は誰もそれを知らなかった）。

なんという高評価でしょう。そして、ラムさんは日本のロックにおける転換点が大瀧詠一と内田裕也の「日本語によるロック論争」にあったことをただしく指摘していました。その箇所を少し長いけれど引用しておきます。

一九六〇年代末まで、日本のポップスは洋楽の模倣であった。大衆が好む音楽は『歌謡曲』と呼ばれ、そのより感傷的なタイプの楽曲が『演歌』と呼ばれた。これらの音楽は昭和時代（一九二六—八九年）を通じて、アフロ・キューバンのリズムやロックンロールと接触しても変化することがなかった。

その後、日本人は彼ら独特の「イェイエ」を創り出した。まず六〇年代に「エレキ」ブームが来た。ブームのきっかけを作ったのはアメリカのサーフ・ミュージック・コンボ、ザ・ヴェンチャーズの日本ツアーであった。彼らの音楽がインストであったことも幸いした。その後、「グループ・サウンズ」の時代がやってくる。そして、ロックの「津波」を引き起こしたのは一九六六年六月のザ・ビートルズの東京の武道館公演であった。

この時代のロックバンドは曲の多くを英語（のような言語）で歌った。この時期に、日本語で歌うミュージシャンは下位に格付けされたのである。（…）「英語で歌うか、日本語で歌うか、どちらかをめぐって、日本のロック界では激しい論争が繰り広げられた」とデイヴィッド・マーカスは書いている。「内田裕也（歌手で、サイケデリックバンド、フラワー・トラベリング・バンドのリーダー）はあくまで英語で歌うことにこだわり、一方はっぴいえんどは日本語で歌うことにこだわった。その時代にも日本語で歌うグループは存在したが、彼らは〈クール〉ではないと見られていた。そして、英語か日本語か、どちらで歌うか迷っていたミュージシャンたちに方向を決めさせたのははっぴいえんどだった。」

はっぴいえんどは四人の日本ポップスの巨人たちによって始められた。ソングライターの大瀧詠一、ドラマーの松本隆、ギタリストの鈴木茂、飽くことを知らないイノベーターである細野晴臣（細野はその十年後にテクノ・ポップのトリオ、Yellow Magic Orchestra を結成することになる）。

はっぴいえんどは疑いの余地なく日本のロックを成熟期に導いたグループであった。とはいえ、彼らが実際に活動していた時期（一九六九―一九七二年）には人気のあるグループではなかった。その点でも、アウトサイダーでありながら、次世代に続く多くの扉を開いたヴェルヴェット・アンダーグラウンドに比較することが可能だろう。

マーカスはこう書いている。「はっぴいえんどのメンバーたちはさまざまなバンド、たとえばバッファロー・スプリングフィールドの影響下に、欧米の音楽構造とメロディと日本的な感受性との独特のハイブリッドを創り出した。それは六〇年代のグループが欧米のポップスの様式を機械的に理解し、ほとんどの場合欧米の楽器を使って日本の歌を歌うことに行き着いたのとは対照的であった。」
はっぴいえんどは曲を作り、ライブ活動をし、プロデュースをするかたわら、さまざまなミュージシャンの熟練したバックバンドを務めた。（…）その要求の高さによって、またその野心によって、とりわけ細野と大瀧による忍耐強い作業によって（この二人はやがて実に多様な領域でもっとも高く評価される作曲家となった）、はっぴいえんどは後に「ニュー・ミュージック」と呼ばれることになるものの先陣を切ることになったのである。（Olivier Lamm, 'Japon, cheveux longs et idées folk', *Libération*, le 11 nov., 2017）

面白いので、もっと引用したいのですが、これくらいにしておきます。泉下の大瀧さんがこの記事を読んだらどんなに面白がってくれたことでしょう。

でも、ここで記憶してほしいことは、日本のロック音楽作品の中で、その際立った独創性によって世界性を獲得したのは「ロックの旋律に英語詞を載せた」作品ではなく、「ロックの旋律に日本固有の叙情と音韻を載せた」作品だったということです。世界中のさまざまな文化圏がロックンロールを受容し、それぞれの土着の音楽的感性との「習合」を試みましたけれど、この記事によれば、「同時代に世界のポップスのポールポジションを制していた」のは日本語によるロックだった。

僕にはこの一連のエピソードは日本文化と習合について本質的なところを衝いているもののように思えるのです。

あとがき

最後までお読みくださって、ありがとうございます。

僕の習合論は以上です。なんだか話があちこちへ散らばってしまって、読みにくい本になってしまったと思います。どうぞお許しください。

書き終わって、読み返してみてわかりましたけれど、この本を書いた動機というのは、「恐怖心」だったように思います。「話を簡単にしたがる人たち」「異物を排除して原初の清浄状態に戻せばすべては解決すると信じている人たち」の数がここ十年ほどだんだんと増えてきているような気がします。それに対する恐怖心です。「異物を排除する」傾向はレイシズムやゼノフォビア（外国人嫌い）としてわりと簡単に可視化されますし、本人たちも自分たちが「政治的に正しくないこと」を主張していることにそこそこ自覚的です。対処がむずかしいのは「話を簡単にしたがる人たち」です。この人たちは善意だからです。当然のことを主張していると思っている。

「要するにどういうことですか。一言で言ってください」「だから、あなたはどうしたいと言うわけですか。具体的な代案出してください」というタイプの問いが多用されるようになってずいぶんになります。「話を簡単にすること」が端的によいことであって、「話をややこしくすること」はそれ自体が悪いことであるという考え方がいつの間にか常識化してしまったようです。

でも、そんなわけありません。生物というのはどんどん複雑化してゆくものだからです。単細胞生物が二つに分裂し、四つに分裂し……そうやってより複雑なものになることによって進化し、環境に適応し、生き延びてきた。より複雑になるのは生き物としての自然です。「話を簡単にする」のは生物の本性に反することなんです。

「ややこしい話を単純化する才能」をもてはやすのはメディアです。もっともその傾向が強いのはテレビですけれど、僕はテレビの仕事を基本的にしないので、実害はほとんどありません。困るのは新聞相手です。僕のところにインタビューに来る記者たちでは、大手メディアの人たちほど「話を簡単にすること」にこだわりを示します。以前、ある大手紙のインタビューで、僕がかなり長いこと自説を述べた後に、記者が話を遮って「まあ、雑談はその辺にして」と言ったことがありました。びっくりしました。自分のほうにあらかじめ「こういうコメントを取る」というシナリオがあって、それに合わない話は「無駄話」として聞き流されていたのでした。なんと。

それからよくインタビューの最後に「で、最後の質問ですが、われわれはこれから具体的にどうしたらよいとお考えですか？　一言でお願いします」という質問がよくされます。何度されたかわからないくらいです。でも、悪いけど、そんなの「自分で考えてくれ」としか言いようがありません。

現状についての僕の分析にはある程度の客観性があると思いますけれど、僕がこれからやることは「僕が個人的にできること・したいこと」であって、他の人には関係ない。僕が他の人に忠告したいのは「好きにしなさい」ということだけです。人の真似をしたり、多数派についてゆくようなことはしないほうがいいですよというアドバイスはしますけれど、そんなものは「なすべきこと」とは言えません。だいたいほんとうに「なすべきこと」があるのなら、日本人全員が斉一《せいいつ》的に同じ生き方をすることが理想的だということになる。そんなはずがありません。そんな気持ちの悪いものを僕は見たくありません。

みんなが好き勝手なことをしているけれど、自ずから調和が達成するというのが僕の理想とするところです。そういうナチュラルな調和は、ひとりひとりのプレイヤーが「ほんとうに自分のしたいこと」をしているときにしか実現しない。命令されたり、利益誘導されたり、処罰で脅されたりしたせいでひとびとが動くなら、そこには「ナチュラルな調和」は存立しない。いろいろな考えの人がいて、それぞれの立場から、さまざまなプランを提言して、それをすり合わせることができるシステムと、ただ一つの「正解」に全員が従わないと動かない硬直したシステムのどちらがシステムとして出来がいいかなんて考えるまでもありません。僕たちがこれからさまざまな前代未聞の出来事に応じながら生き抜いていこうと願うなら、そういう可塑的で、しなやかなシステムを創り上げてゆくしかない。当たり前のことです。

僕が知っている「すごく頭のいい人」たちにはある共通性があります。それは「どんな変な話でも一応聴く」ということです。「そんなバカな話があるものか」と一蹴するということをしない。どんな変な話でも、それを現に目の前で語っている人がいる以上、なんらかの文脈に沿って登場してきたはずです。そのような変な話が生成する必然性があったということです。出力は変てこでも、それが生成するプロセスには合理性がある。では、どのような入力があって、それがどのように変成していったのか？「すごく頭のいい人」はそれを観察し、分析する。

僕の友人の医師が救急外来の当直をしていたときに「頭が真っ白になりました」という症状を訴える患者が来たそうです。そんな「変な」症状は病理診断の教科書には存在しませんので、ざっと診察して帰そうとした。でも、後ろ姿を見たら椅子や机にぶつかりながら歩いている。片側の視野が機能していない。ＣＴスキャンで画像を見たら、脳内出血で「頭が真っ白」になっていたそうです。

どんな非現実的な言明でも、それが生成するプロセスには現実的根拠がある。そのことの適例です。でも、これを処理するのはたいへんな作業です。「なんだかよくわからない話」を門前払いしないで、とりあえず観察し、「変な話」でも、それがどうして出来してきたのかを見るためには、しばらく走らせておく必要があるからです。正否の判断を一時的に保留して、「変な仮説」をしばらく走らせてみる。そして、その軌跡から、「どこからやってきたのか」「どこに向かうのか」を推理してゆく。そのような複雑な処理ができるためには、「頭が大きい」必要があります。「頭が切れる」とか「スマート」ということと「頭の容量がでかい」ということとは別のことです。そして、複雑なシステムを管理制御するのに必要なのは「頭のよさ」より「頭の大きさ」なんです。

「すごく頭のいい人」は変な話でも一応聴くということを申し上げましたけれど、それができるのは「頭がでかい」からです。多少変てこなものを詰め込んでも、スペースに余裕がある。だから、たとえば、自分では「プランA」がいいと思っていても、他人が提言する「プランB」も「プランC」も同時並列的に頭の中で走らせて、その結果をシミュレートしたりすることができる。

「選択と集中」の逆です。「選択しない／集中しない」。目の前にある複雑なデータを処理できるように、自分の演算能力そのものを上げる。ほんとうに頭のいい人というのは、こう言ってよければ、遂行的に賢いのです。自分のできあいのスキームですぱすぱ現実を切り裁いても、自分自身はこれ以上賢くならない。それでは面白くないというふうに考える人が「遂行的に賢い人」です。他人の「変な話」をいったん受け入れて、それを噛み砕き、嚥下し、消化し、栄養にして摂取することができるまで自分の知的スキームをヴァージョンアップする。そういうマナーをみんながめざすようになると、世の中はどんどん複雑になってゆく。僕はそういうのが望ましいと思っているのです。

「話を簡単にするのを止めましょう」。それがこの本を通じて僕が提言したいことです。もちろん、そんなことを言う人はあまり（ぜんぜん）いません。これはすごく「変な話」です。だから、多くの人は「そんな変な話は聴いたことがない」と思うはずです。でも、それでドアを閉じるのではなく、「話は複雑にするほうが知性の開発に資するところが多い」という僕の命題については、とりあえず真偽の判定をペンディングしていただけないでしょうか。だって、別に今すぐ正否の結論を出してくれと言っているわけじゃないんですから。「というような変なことを言っている人がいる」という情報だけを頭の中のデスクトップに転がしておいていただければいいんです。それ自体すでに「話を複雑にする」ことのみごとな実践となるのですから。

僕が「習合」という言葉に託したのは、そういうダイナミックなプロセスのことです。おわかりいただけたでしょうか。

最後までまとまりのない話になってしまいました。すみません。もう紙数も尽きましたので、この辺で終わりにします。

最後になりましたが、この本を書くきっかけを作ってくれたミシマ社の三島、野崎ご両人と、さまざまな知見を提供してくださったすべてのみなさんに感謝申し上げます。ありがとうございました。

二〇二〇年七月

内田 樹

本書の第三章は『ちゃぶ台Vol.5「宗教×政治」号』（二〇一九年）に収録されている「街場の宗教論（序）」、第四章は『ちゃぶ台「移住×仕事」号』（二〇一五年）に収録されている「街場の農業論〜序」をもとに、加筆・修正をしたものです。

その他はすべて書き下ろしです。

内田樹（うちだ・たつる）
1950年東京生まれ。東京大学文学部仏文科卒業。東京都立大学大学院博士課程中退。神戸女学院大学を2011年3月に退官、同大学名誉教授。専門はフランス現代思想、武道論、教育論、映画論など。著書に、『街場の現代思想』（文春文庫）、『サル化する世界』（文藝春秋）、『私家版・ユダヤ文化論』（文春新書・第6回小林秀雄賞受賞）、『日本辺境論』（新潮新書・2010年新書大賞受賞）、『街場の教育論』『増補版 街場の中国論』『街場の文体論』『街場の戦争論』（以上、ミシマ社）など多数。第3回伊丹十三賞受賞。現在、神戸市で武道と哲学のための学塾「凱風館」を主宰している。

日本習合論

二〇二〇年九月二十日　初版第一刷発行
二〇二〇年十二月四日　初版第五刷発行

著者　内田樹

発行者　三島邦弘
発行所　（株）ミシマ社
郵便番号　一五二－〇〇三五
東京都目黒区自由が丘二－六－一三
電話　〇三（三七二四）五六一六
FAX　〇三（三七二四）五六一八
e-mail　hatena@mishimasha.com
URL　http://www.mishimasha.com/
振替　〇〇一六〇－一－三七二九七六

ブックデザイン　尾原史和（BOOTLEG）

印刷・製本　（株）シナノ
組版　（有）エヴリ・シンク

ISBN　978-4-909394-40-8

内田樹の「街《まち》場《ば》シリーズ」

街場の教育論

内田樹

「学び」の扉を開く合言葉。それは…？

学校、教師、親、仕事、宗教…あらゆる教育のとらえ方がまるで変わる、驚愕・感動の11講義！至言満載のロングセラー。

ISBN978-4-903908-10-6　1600円

増補版　街場の中国論

内田樹

尖閣問題も反日デモも…おお、そういうことか。

「日本は中国から見れば化外の民」「中華思想はナショナリズムではない」…『街場の中国論』（2007年刊）に3章が加わった決定版！

ISBN978-4-903908-25-0　1600円

街場の文体論

内田樹

言語にとって愛とは何か？

30年におよぶ教師生活の最後の半年、著者が全身全霊傾け語った「クリエイティブ・ライティング」14講。「届く言葉」の届け方。

ISBN978-4-903908-36-6　1600円

街場の戦争論

内田樹

日本はなぜ、「戦争のできる国」になろうとしているのか？

「みんながいつも同じ枠組みで賛否を論じていること」を、別の視座から見てみると…現代の窒息感を解放する「想像力の使い方」。

ISBN978-4-903908-57-1　1600円

（価格税別）